Le Perroquet d'Altaïr

Jean-Louis Trudel

LE PERROQUET D'ALTAÏR

MÉDIASPAUL

Les Éditions Médiaspaul remercient le ministère du Patrimoine canadien, le Conseil des Arts du Canada et la Société de développement des entreprises culturelles (SODEC) pour leur Programme d'aide à l'édition.

Catalogage avant publication de la Bibliothèque nationale du Canada

Trudel, Jean-Louis, 1967-

Le perroquet d'Altaïr

(Collection Jeunesse-pop; 149)

ISBN 2-89420-580-5

I. Titre. II. Collection.

PS8589.R717P47 2003   jC843'.54   C2003-941710-7
PS9589.R717P47 2003

Composition et mise en page: *Médiaspaul*

Illustration de la couverture: *Jean-Pierre Normand*

ISBN 2-89420-580-5

Dépôt légal — 4ᵉ trimestre 2003
Bibliothèque nationale du Québec
Bibliothèque nationale du Canada

© 2003   Médiaspaul
          3965, boul. Henri-Bourassa Est
          Montréal, QC, H1H 1L1 (Canada)
          www.mediaspaul.qc.ca
          mediaspaul@mediaspaul.qc.ca

Imprimé au Canada — Printed in Canada

Prologue

La station spatiale n'avait rien d'une jungle.

Pourtant, un perroquet enfilait les coursives de la station. Éclair de gris moiré, il aurait été à sa place dans la pénombre verte d'une forêt vierge, voletant d'une branche chargée de fleurs cramoisies à un nid tapi dans une fourche. Mais il avait été libéré au cœur de la station orbitale de Glensha, à des années-lumière de la Terre.

Ses ailes étendues frôlaient les parois noircies par le temps. Au gré de ses élans, le perroquet piquait, puis remontait. Ses yeux noirs et vifs, cerclés d'eau pâle, cherchaient les flèches vertes qu'il avait appris à reconnaître.

Les parois s'illuminaient automatiquement à son approche. Des flèches rouges, bleues, vertes explosaient comme les fusées d'un feu d'artifice. Rouge: la couleur de la section des réacteurs et des machines qui faisaient vivre

la station. Bleu: la couleur de la section réservée aux galeries marchandes, jardins publics, serres hydroponiques et cabines des orbitants de passage. Vert: la couleur de la section des bers d'appontage et des sas d'accès aux capsules de sauvetage.

Le perroquet se heurtait parfois à une porte close. Il battait alors des ailes, impatient, puis se posait si le battant n'avait pas frémi.

Il arpentait alors le plancher au pied de la porte, fier et droit comme un empereur. Il fixait l'obstacle d'un œil furieux, comme s'il réfléchissait, puis un cri grinçant lui échappait.

L'oiseau prononçait alors quelques phrases en *código*, langue officielle du Nouvel Empire. Son ton croassant n'éveillait pas les soupçons des circuits de surveillance et la porte coulissait.

Parfois, le perroquet se souvenait en plein vol des phrases magiques et les portes s'effaçaient devant lui.

Il était passé ainsi dans la partie de la station réservée au personnel de l'entretien et aux androïdes de manutention. Les coursives y étaient moins fréquentées. Il risquait moins de rencontrer à l'improviste un employé, ou de tomber sur un voyageur en transit.

Néanmoins, quelques membres du personnel témoignèrent plus tard qu'ils l'avaient entendu. Les sons portaient loin, dans le dédale des coursives, et les battements d'ailes du perroquet leur avaient rappelé le bruissement du vent dans les arbres avant la tempête. Ils avaient cru rêver, mais la suite des événements devait prouver qu'ils ne se trompaient pas.

1

Secrets et déguisements

Ils étaient arrivés!

L'écran montrait désormais l'intérieur du ber d'appontage de la station spatiale de Glensha, un monde glog éclairé par un soleil dans la constellation du Lion.

Le jeune homme, qui avait presque oublié qu'il s'appelait Samuel Makenna, froissa nerveusement l'étoffe de sa livrée.

À bord du *Katafigion*, il était moins qu'un esclave. Même pas libre d'agir de son propre chef, parce qu'il n'était pas supposé avoir plus de jugeote qu'un enfant de six ans. S'il s'était rué dans un sas pour s'enfuir de l'astronef des exilés de Nea-Hellas, s'il avait arraché de ses épaules sa défroque de serviteur, s'il avait refusé d'obéir à un ordre, il aurait trahi ce qu'il était réellement.

Pour ses maîtres, il était moins qu'un esclave, oui, et moins encore qu'un androïde de

manutention. Un jouet. Et il appartenait à une enfant qui pouvait passer tous ses caprices sur lui.

Pas question de se révolter, bien sûr! Un morphe n'était pas censé avoir des idées ou même des sentiments. C'était à peine si le morphe dont il jouait le rôle était censé parler.

Pourtant, il n'était pas un morphe. Il était un être humain ordinaire qui avait choisi un moyen extraordinaire de se rendre à Glensha. Il avait tout quitté pour être au rendez-vous fixé par son amie Ferrale, l'aventurière: sa famille, ses amis, ses études...*

Il n'aurait su dire pourquoi, mais il étouffait sur Nou-Québec, sa planète natale. Il avait goûté à l'imprévu et aux sensations fortes de l'aventure une seule fois dans sa vie, sur Serendib, en compagnie de Ferrale et d'un garçon appelé Alain.** Une fois de trop, sans doute. Il était devenu incapable de tolérer la condescendance de ses profs, les crises de nerfs des adultes et toutes les autres irritations de l'existence sur un monde civilisé. Pas

---

* Voir la nouvelle «Les codes de l'honneur» dans le collectif *Concerto pour six voix*.
** Voir *Un trésor sur Serendib*, dans la même collection.

quand elles se résumaient si souvent à des futilités.

L'aventure, c'était autre chose: la certitude de vivre les mêmes émotions pour de vrai. Aucune autre garantie ne s'appliquait quand on larguait les amarres. Et Samuel avait décidé de respirer l'air du grand large, coûte que coûte.

Voilà pourquoi il savourait si profondément le spectacle sous ses yeux.

Les parois de métal terni du ber d'appontage n'avaient rien de coquet ou de resplendissant, mais elles étaient pour lui la promesse de la liberté.

— Vlax! claqua une voix derrière lui. Apporte-moi à boire!

Il sursauta, mais ce n'était que Leila, sa petite maîtresse. Il se concentra pour effacer de ses traits toute trace de ses pensées, puis se tourna vers la fillette d'une dizaine d'années.

Celle-ci revenait d'une séance d'entraînement dans le gymnase de l'astronef, le front brillant, les cheveux noirs en désordre. Elle lui jeta le sac qui contenait sa tenue d'exercice.

— Tiens, stérilise-moi tout ça. Puis sers-moi un frappé bien crémeux.

Samuel jeta les vêtements sales dans un module de nettoyage nanotechnique.

À l'intérieur, les nanobes de stérilisation allaient se repaître de tout ce qui n'était pas les fibres nanotissées des étoffes mêmes.

Il s'enferma ensuite dans la cuisinette et tira un peu de café du percolateur. Après quelques opérations savantes, il plaça la tasse dans le congélateur variable et la soumit au refroidissement voulu par Leila. Il connaissait les goûts de sa petite maîtresse, à force!

Il la retrouva dans un coin de son appartement, étendue sur un fauteuil qu'elle avait tiré sous la bouche de ventilation de sa chambre.

— Vous allez prendre froid, maîtresse, dit-il sur le ton de la constatation.

— Oh, ne fais pas le morphe avec moi!

Samuel lui servit le verre de café glacé et elle entreprit de le siroter.

Il n'avait pas réagi, trop habitué à dissimuler ses émotions depuis son arrivée sur le *Katafigion*. Leila avait tout de suite deviné qu'il n'était pas un morphe, mais elle avait consenti à taire sa présence à bord.

Parfois, elle le trouvait exaspérant.

Parfois, il la trouvait exaspérante.

Mais elle avait besoin de lui.

Et il avait besoin d'elle.

Samuel était monté à bord du *Katafigion* en se faisant passer pour un morphe illégal,

un être génétiquement modifié qui n'avait d'humain que l'apparence. Les morphes avaient été dotés par leurs créateurs, des ergogénéticiens de Nea-Hellas, d'une force surprenante et de l'intelligence d'un toutou.

Leila l'avait tout de suite démasqué. Au lieu de le dénoncer, la fillette avait conclu un marché avec lui. Le temps du voyage jusqu'à Glensha, il serait son serviteur attitré, comme s'il était vraiment le morphe en question, et il obéirait aussi fidèlement qu'un morphe.

Sauf qu'il lui ferait aussi la conversation, qu'il serait son compagnon de jeu et qu'il lui raconterait des histoires de ses voyages.

Bien rares voyages. Il n'avait quitté Nou-Québec que deux fois...

Un timbre mélodieux se fit entendre dans la cabine. Samuel sursauta.

Leila vivait seule, mais elle recevait parfois des visiteurs. Il avait cru comprendre qu'elle avait perdu sa famille, mais il n'avait pas insisté. Il craignait trop de se faire interroger sur ses propres parents.

Leila tourna la tête vers la porte. L'envers du battant affichait la figure d'un homme dans la force de l'âge, ses cheveux noirs et bouclés, ses traits grassouillets trahissant la bonne chère servie à bord du *Katafigion*.

— Christos! s'écria la fillette en reconnaissant l'officier. Entre donc.

Samuel se raidit et s'appuya à la paroi en souhaitant pouvoir s'y fondre.

Il fit de son mieux pour s'effacer et ne pas se faire remarquer.

Mais l'homme ne lui consacra pas plus d'attention que s'il avait été un simple meuble. Il s'inclina devant Leila.

— Pour célébrer notre arrivée, le capitaine a décidé de tenir une grande mascarade demain soir. Tu en es?

Leila tapa des mains.

— Mais bien sûr, Christos! C'est une idée cubiquement brillante!

— En quoi te déguiseras-tu?

— Est-ce qu'il y a un thème? Oh, j'espère que tu ne veux pas qu'on se déguise tous en Glogs rien que parce que c'est un système de l'ancienne Conglomération! Ce serait tellement ennuyeux d'avoir tous la peau verte. Et ce serait trop bête! Tu nous vois tous avec des masques pour changer la forme de notre crâne, camoufler le nez et nous cacher les cheveux sous des écailles en plastique? On étoufferait à mort!

— L'idée n'est pas mauvaise, dit l'officier en souriant. Nous pourrions inviter des Glogs si tous les petits se costument en Glogs, et on

donnerait un prix à la personne qui reconnaî-trait le plus de Glogs authentiques.

— Quoi? On serait les seuls obligés à se déguiser comme des Glogs? Ah non, alors, ce serait ennuyeux grave!

— Voyons, Leila, les adultes sont trop grands, plaida l'officier en s'égayant. Personne ne me prendrait pour un Glog, même avec le masque parfait et des petits évents mécani-ques pour que j'aie l'air de respirer par le cou... Ça ne te tente pas, ma chérie? Ce serait pourtant le grand jeu. Deux cents faux Glogs et deux vrais à trouver dans le tas.

Leila se croisa les bras:

— Tu me taquines pour rien, Christos, mais je vais te détester pour de bon si tu ne me dis pas tout de suite le vrai thème de la mascarade. Et que ça saute!

— En fait, il n'y aura pas de thème im-posé, mais je parie que la moitié des gamins auront quand même la bonne idée de se faire passer pour des Glogs en visite. Pas toi?

— Certainement pas, affirma Leila en pin-çant les lèvres. Je serai habillée en grande dame d'autrefois, comme à la cour de Han Premier. Avec une robe pseudo-vivante, de la dentelle mobile, un maquillage holographique et des bijoux intelligents. Et Vlax sera mon serviteur.

Le dénommé Christos leva les yeux au ciel.

— Tu as de ces idées, dit-il, l'air mi-admiratif mi-perplexe. Il n'y avait pas de morphes à la cour de Han Premier, tu le sais bien. Ton Vlax risque de ne pas faire honneur à son rôle.

— C'est ce qu'on verra, rétorqua la fillette.

Pas un muscle du visage de Samuel ne frémit lorsque Christos lui accorda un regard. Mais le jeune homme n'en pensait pas moins. Leila jouait avec le feu.

— C'est tout vu, dit l'officier en haussant les épaules. Nous avons peut-être eu tort de t'accorder un morphe personnel. Il est relativement courant de s'exagérer l'intelligence d'un morphe quand on en a un à son service en permanence.

— Il fait tout ce que je lui dis, protesta Leila, les yeux pétillants. Je n'aurai qu'à lui demander de faire semblant d'être intelligent.

Christos poussa un soupir excédé et tourna les talons sans ajouter un mot. Une fois l'officier sorti, Samuel adressa un regard interrogateur à la fillette.

— Mais qu'as-tu donc en tête, Leila? Je ne peux pas me montrer à cette mascarade. Si j'y vais avec toi, j'attirerai l'attention et on s'attendra à ce que je sois complètement ridicule. Au moindre signe d'intelligence, on criera au prodige. Ou à la supercherie.

— C'est très simple, pourtant. J'ai envie de sortir. Depuis que je t'ai pris à mon service, je suis presque toujours enfermée dans ma cabine.

Samuel haussa insensiblement le ton.

— Mais nous sommes arrivés! Tu as promis de me laisser partir.

Leila haussa la voix à son tour.

— Tu ne m'écoutes pas, Vlax. Je te dis que je vis comme une prisonnière et que j'en ai assez.

Le son du timbre coupa court à leur querelle. Samuel, pétrifié, vit Christos apparaître de nouveau dans la cabine.

— J'ai entendu crier, dit-il. Leila, ne me dis pas que tu te disputais avec un morphe.

L'officier secouait la tête, la mine apitoyée comme s'il avait affaire à une demeurée.

— Non, non, protesta la fillette, je parlais toute seule.

Christos fit comme si elle n'avait rien dit.

— Tu sais, Leila, c'est mauvais signe quand on se met à parler aux morphes.

— Je t'ai dit que je ne parlais à personne. Je ne suis pas une menteuse!

Christos l'ignora.

— Et c'est encore plus mauvais signe lorsqu'on se persuade que les morphes répondent. Ou disent des choses sensées.

— Je sais, Christos, je sais. Je jouais, c'est tout.

— Bien. C'est vrai qu'on ne peut pas reprocher à une petite fille de jouer. Bonsoir!

En sortant, l'officier dévisagea d'un peu plus près le morphe debout contre le mur. Samuel cessa de respirer. La bouche légèrement entrouverte, le regard fixe, il se composa la mine hébétée qu'il pratiquait chaque matin face au miroir.

Une fois Christos reparti, le Nou-Québécois essaya de se détendre. Il sentait la liberté si proche qu'il n'avait jamais été aussi tendu, même en montant à bord de l'astronef.

— Je ne serai pas à la mascarade demain soir, c'est ça? chuchota-t-il.

— Bravo! Tu es moins bête que tu n'en as l'air. Demain, j'avertirai Christos que je suis malade, gravissimement malade, et que je ne peux pas venir à la mascarade. Alors, comme j'avais tellement envie d'être là, personne ne nous soupçonnera d'avoir filé.

— *Nous*? Que veux-tu dire?

— Prépare mon pyjama pour la nuit. On parlera de ton évasion après.

Il inclina la tête, trop reconnaissant pour lui en vouloir. Il n'avait jamais compris exactement pourquoi la petite fille était devenue sa complice. C'était peut-être à cause des histoires qu'il lui racontait. Il n'avait visité que deux planètes dans sa vie, Nou-Québec où il était né et Serendib où il avait rencontré Ferrale, mais Leila ne connaissait que l'existence à bord du *Katafigion* et les escales sur des stations orbitales. Elle avait écouté ses récits avec émerveillement.

Le ciel bleu, les marches dans la nature, les excursions en bateau sur un lac ou un fleuve... Tout cela lui semblait bien étrange et même un peu effrayant. Mais si enchanteur!

Leila avait promis de l'aider à s'enfuir lorsque l'astronef atteindrait Glenshkok, la station spatiale de la planète Glensha. À la condition expresse qu'il devînt un compagnon de jeu et un serviteur plus zélé encore qu'un morphe.

Parfois, Samuel avait douté de la promesse de la fillette. Et si elle oubliait, ou se ravisait, ou le remettait entre les mains des autorités du *Katafigion*? Il n'avait rien laissé filtrer de ses doutes. L'essentiel, c'était d'atteindre Glenshkok. Après, il trouverait bien le moyen de s'enfuir.

Maintenant qu'il était arrivé à destination, toutes ses hésitations remontaient à la surface. Pouvait-il vraiment lui faire confiance?

Il décida de continuer à jouer le jeu. Il sortit le pyjama de la petite et le plaça dans le réceptacle à micro-ondes pour le réchauffer à la température du corps. Il se retourna ensuite vers la petite fille toujours vautrée dans son fauteuil.

— Eh bien, parlons de mon évasion, Leila.

Il avait pris un autre ton, moins neutre, plus familier. La fillette marqua le coup.

— À mon avis, dit-elle, la meilleure solution, c'est de prendre une navette pour Benshak ou Mashak ou l'une des autres villes de Glensha. Si je t'ouvre la porte pour te laisser aller, on te retrouvera tout de suite. Il faut que tu quittes Glenshkok.

Samuel poussa un soupir déçu. Le plan de Leila souffrait d'un grave défaut. Le jeune homme oubliait parfois que la fillette, si autoritaire fût-elle, n'avait pas son expérience des voyages.

— C'est impossible, maîtresse, dit-il sans s'énerver. Vous avez raison sur un point. Tant que je resterai à bord de la station orbitale, je serai en danger. Mais je ne peux pas prendre une des navettes.

Leila fit comme si elle ne l'écoutait pas, prenant une autre gorgée du frappé. Samuel insista:

— Les contrôles sont trop stricts aux points d'embarquement. Si je sors mes documents d'identité de Nou-Québec, les ordinateurs vont tout de suite remarquer qu'aucun Samuel Makenna n'est arrivé à bord des astronefs appontés. Les voyageurs surgis de nulle part, on s'en méfie. Au mieux, j'aboutirai au poste de police le plus proche.

Un sourire s'élargissait sur le visage de Leila. Samuel compléta la démonstration:

— Et si j'essaie de me faire passer pour Vlax, arrivé avec l'équipage du *Katafigion*, on va me demander ma fiche de libération. C'est le document qui confirme qu'un membre d'équipage a terminé l'engagement qui le liait à un astronef. Si je ne l'ai pas, le capitaine du *Katafigion* sera tout de suite averti qu'on a mis la main sur un déserteur qui n'est pas en règle.

— Tu n'as pas tort, opina la fillette.

Le triomphe de Samuel fut de courte durée, car elle ajouta:

— C'est pourquoi je vais venir avec toi. On ne te demandera rien. Il sera clair que tu m'escortes pour une petite promenade à terre. Et un peu de magasinage, sans doute, car on connaît les habitudes des anciens aristocrates de Nea-Hellas, n'est-ce pas?

Samuel resta bouche bée. Parfois, Leila l'étonnait, faisant preuve d'une capacité de raisonnement qui n'était pas de son âge. Âge qu'il n'avait jamais su avec exactitude, d'ailleurs.

— Mais le *Christophe* est sans doute déjà à quai quelque part dans la station, protesta le Nou-Québécois. Si je descends à la surface de Glensha, il faudra que je remonte ensuite. C'est idiot! Je n'ai pas de temps à perdre.

— Tu ne m'as pas écoutée, Vlax! Si tu restes à bord de la station, on te cherchera partout et on te retrouvera même si tu te réfugies à bord du *Christophe*. Par contre, si tu désertes sur Glensha, on te cherchera sur Glensha. Pendant ce temps, tu n'auras qu'à revenir sur Glenshkok en compagnie de ta capitaine Ferrale et tu seras tranquille jusqu'à ton départ. Puisqu'on te cherchera partout sauf ici!

En son for intérieur, Samuel dut admettre qu'elle avait raison. Mais le plan de Leila prolongeait sa servitude. Il avait envie de quelque chose de moins humiliant, de plus héroïque, même s'il devait traverser toute la station spatiale en se cachant des agents de sécurité...

— Je n'ai pas besoin d'aide, protesta-t-il pour la forme. Je suis prêt à tenter ma chance sur Glenshkok, Leila.

La fillette se leva, faisant la sourde oreille. Elle ouvrit la porte qui donnait sur une autre partie de l'appartement et un grand chien lui sauta dessus.

— Pallikari, non! s'écria-t-elle.

Appuyant ses pattes sur sa poitrine, Pallikari essaya de lui lécher la figure. Leila se mit à rire et tirailla le pelage mordoré de l'animal. Quand l'échange d'amabilités s'essouffla, la petite aristocrate se tourna vers le Nou-Québécois.

— Va promener le chien, dit-elle en lui donnant la télécommande, histoire de clore la discussion. Après, je vais me coucher et nous partirons pour Glensha le plus tôt possible demain matin.

Samuel soupira en acceptant l'instrument.

Il avait été horrifié de découvrir que les anciens seigneurs de Nea-Hellas allaient jusqu'à implanter des modules d'obéissance dans la tête de leurs animaux domestiques.

— Ce n'est pas naturel, avait-il objecté.

— La nature est bien mal faite, parfois, avait répondu Leila en haussant les épaules. Sur Nea-Hellas, autrefois, nous faisions de notre mieux pour l'améliorer.

— Comme avec Pallikari? Je n'appelle pas ça une amélioration.

— C'est pour son bien.

Le ton de sa petite maîtresse était sans réplique et Samuel n'avait pas insisté. De telles mesures étaient compréhensibles à bord d'un astronef, où il était hors de question de laisser un animal faire à sa guise. Cependant, le Nou-Québécois s'était efforcé de gagner l'affection du grand chien au poil soyeux, dans l'espoir de ne jamais être obligé d'utiliser la télécommande.

En fait, Samuel n'avait pas mis tout de suite le doigt sur ce qui le dérangeait le plus. Puis, il s'était rappelé qu'il jouait le rôle d'un homomorphe. Autrement dit, il était une version humaine de Pallikari! Seulement, les savants de Nea-Hellas avaient trié, taillé et ajusté les gènes des homomorphes pour obtenir des serviteurs parfaits. Pas besoin d'implanter un module. Un morphe n'était pas seulement contraint à l'obéissance, il était incapable de désobéir ou même d'en avoir l'idée. Il pouvait comprendre un ordre de travers ou se tromper, mais il ne se révolterait jamais.

Ainsi, lorsque Samuel prit la télécommande, il résista à l'envie de la glisser dans sa poche. Un morphe n'était qu'un instrument.

— Je suis un instrument qui tient un instrument, murmura le jeune homme pour lui-même. Un instrument qui s'en va promener un autre instrument.

Leila se retourna, l'air absent.

— Tu as dit quelque chose, Vlax?

— Non, maîtresse.

Une fois dans la coursive, Samuel attendit que la porte se refermât avant de crier, la voix rauque et le ton lourd d'exaspération: «Je ne suis pas un instrument!»

Heureusement, il n'y avait personne pour l'entendre réclamer sa liberté. À part Pallikari, qui aboya comme pour manifester son approbation.

2

La navette sans pilote

Le matin venu, Samuel fit le ménage pour la dernière fois. Une partie de l'ameublement de Leila était doté d'une capacité de mouvement autonome, mais il restait toujours des choses à ranger, même quand le lit se faisait tout seul. Les vêtements de Leila avaient beau se plier d'eux-mêmes, cela ne servait pas à grand-chose s'ils demeuraient sur le plancher. Sans parler des jouets de Pallikari, encore mouillés par la salive du chien.

Le Nou-Québécois n'avait pas préparé de bagages. Il n'en avait pas. Il était monté à bord les mains vides, il repartirait les mains vides.

Mais Leila avait sorti un assortiment de ses vêtements préférés. Une aristocrate de Nea-Hellas ne se déplaçait jamais sans avoir de quoi se vêtir pour toutes les occasions. Samuel soupira en les bouclant dans les valises de la fillette, qu'il était allé repêcher dans un conteneur de la soute. Il commençait à soupçonner que Leila avait l'intention de profiter un peu de leur escapade. Il voulait bien lui faire plaisir, mais si elle étirait trop les choses, il finirait par la planter là...

— Es-tu prêt, Vlax? lança la fillette de sa chambre.

— On n'attend que toi.

— Je dis au revoir à Pallikari et j'arrive.

Samuel capta un geignement plaintif de l'autre côté de la porte, puis le bourdonnement d'un cercueil de sommeil-lent en train de se refermer. Leila avait décidé d'endormir le grand chien pendant son absence. Si elle tardait à revenir, les aboiements de Pallikari attireraient l'attention... Un autre signe que Leila ne prévoyait pas revenir aussi vite qu'elle l'avait laissé entendre.

Ils empruntèrent des coursives détournées. Certaines étaient plongées dans la pénombre, éclairées par un seul ruban-lumière. Des empreintes de main aux doigts écartés décoraient les intersections, interdisant aux âmes des morts d'aller embêter les vivants. Les exilés de Nea-Hellas avaient d'étranges superstitions. Samuel lui-même avait dû tremper sa main dans un pot de peinture et appliquer sa paume dégoulinante sur une paroi vierge.

Au moment de sortir, Leila accoupla son micrord à une prise voisine de la porte du sas. Lorsque le battant coulissa, Samuel hésita.

— Tu es sûre qu'ils n'en sauront rien?

— Les ordinateurs du *Katafigion* sont à mes ordres, affirma-t-elle fièrement.

Ce qui n'empêcha pas Samuel de courber les épaules en sortant. La livrée du *Katafigion*, noir et argent, n'était-elle pas horriblement voyante? N'y aurait-il pas des gens pour s'étonner de l'étrange paire qu'il formait avec la petite?

Celle-ci était brune et menue, habillée d'une robe de fantaisie, le visage décoré d'un maquillage à demi fluorescent et de quelques tatouages mobiles. Lui était grand et roux, vêtu de la sobre combinaison assignée à la domesticité du *Katafigion* et embarrassé des bagages de sa maîtresse.

Les quelques passants, eux, ne virent qu'une fillette accompagnée d'un serviteur à la vieille mode de Nea-Hellas.

Ils se rendirent sans encombre jusqu'au hall d'embarquement de la navette. Il n'y avait personne dans la pièce garnie de banquettes et de plantes vertes.

— Tu vois, dit Leila en triomphant, nous sommes en avance. Je t'avais dit qu'on n'avait pas besoin de se presser.

— On dit ça, murmura Samuel, et puis, s'il y a un imprévu en chemin, on manque son départ.

— Tu t'inquiètes trop. Je vais faire viser les billets et on pourra monter à bord. On aura les meilleures places!

Elle sortit son micrord et elle s'approcha d'une borne d'enregistrement. Tour à tour, Leila puis Samuel se penchèrent sur le carré de vitre où brillait une lueur rouge. En un instant, l'ordinateur analysa leurs empreintes rétiniennes et le dessin de leurs iris, afin de confirmer leurs identités, reconnaissant Samuel pour un jeune homme du *Katafigion* du nom de Vlax.

Une lumière verte s'alluma. Tout était en ordre. Samuel se redressa et essuya discrètement la sueur qui perlait à la racine de ses cheveux.

La borne et le micrord échangèrent quelques données supplémentaires pour compléter la transaction. Une fente cracha deux bandes de plastique à mémoire de forme.

Samuel montra à Leila comment plaquer le centre de la bande contre la peau du poignet. La chaleur corporelle déclenchait une relaxation du plastique qui reprenait sa courbure d'origine. Chaque bande se transformait ainsi en un bracelet très lâche que les passagers devaient porter en guise d'identification le temps du voyage. Après, il suffisait de tordre le plastique pour l'enlever et le jeter dans un module de recyclage.

Ils purent alors s'introduire dans la navette. L'espace réservé aux passagers était vide.

Leila se précipita dans un des fauteuils près des hublots en poussant un cri de joie.

— Tu vois! Plein de place!

— Je vois que nous avons eu raison de ne pas traîner.

La petite se croisa les bras en faisant la moue. Samuel retint un haussement d'épaules. Jusqu'au dernier moment, il s'était juré d'être le morphe parfait.

— Quelque chose à boire ou à manger? dit-il après avoir rangé les bagages.

Il y avait des machines distributrices au fond de la cabine. Tentée, Leila sollicita son micrord pour obtenir le menu et Samuel se pencha, attentif.

— Oh, ils n'ont presque pas de spécialités de Nea-Hellas! constata la petite, dépitée. Rien que les plus simples des *mézèdakis*.

— Si c'est ce que vous voulez, maîtresse.

— Tu peux arrêter de faire le mor...

La navette s'ébroua et Samuel trébucha. Il eut tout juste le temps de se jeter dans un fauteuil voisin.

— Mais c'est trop tôt! s'exclama Leila.

Elle regardait avec incrédulité l'heure affichée par son micrord.

— Tu es sûre que tu ne t'es pas trompée? demanda Samuel.

— J'ai mis le micrord à l'heure de Glenshkok en arrivant. Je t'assure!

Sa voix avait l'accent de la sincérité. Le Nou-Québécois ne mit pas sa parole en doute. Mais il ne comprenait plus! L'accélération grandissante de la navette l'enfonçait au fond de son fauteuil.

— Dans ce cas, grogna-t-il, qui est l'enfant de rat qui a pris les commandes sans nous avertir?

Samuel maudit tout bas le temps passé en apesanteur à bord du *Katafigion*. L'accélération de la navette avait la douceur d'une brise d'été, mais il avait soudain l'impression d'avoir un coffre-froid attaché sur les épaules.

Saisi d'un affreux pressentiment, le jeune homme trouva malgré tout l'énergie de se lever.

— Attends-moi ici! jeta-t-il à sa maîtresse.

— Je n'ai pas d'ordres à recevoir de toi.

Non sans mal, elle vainquit elle-même la force de l'accélération et s'arracha au fauteuil. S'accrochant aux montants des autres fauteuils, elle traversa la cabine en même temps que Samuel. Elle avait repéré comme lui la porte à l'avant de la cabine.

Ils se heurtèrent à une porte close. De l'autre côté, il y avait les soutes, que des coursives contournaient de part et d'autre. L'habitacle réservé aux pilotes occupait le nez de la navette, au bout des coursives en question.

Samuel martela de son poing la plaque thermosensible encastrée dans la paroi voisine. L'absence de réaction du mécanisme ne l'incita qu'à redoubler d'ardeur. Maintenant qu'il pouvait quasiment goûter la liberté, il n'arrivait plus à se retenir comme il l'avait fait à bord du *Katafigion*. Quand ses ongles déchirèrent sa peau, il ne s'en rendit même pas compte et il n'arrêta qu'en voyant du sang maculer la plaque. Il cligna des yeux, un peu hébété, sans savoir quoi faire.

Leila se mit à crier pour obtenir l'ouverture de la porte, mais le battant métallique refusa obstinément de bouger. Si quelqu'un avait pris les commandes, il ou elle ne les écoutait pas.

En fin de compte, ce fut l'ordinateur de la navette qui se manifesta:

— Accès réservé aux employés de la station orbitale Glenshkok. Veuillez vous identifier ou cesser immédiatement de me déranger.

Samuel recula, les bras ballants, à bout de souffle. L'ordinateur de bord répéta l'avertissement dans la langue des Glogs, puis le reprit en deux autres langues humaines.

— Je m'en fous! Ouvre-toi! hurla Leila en ajoutant quelques obscénités choisies dans la langue de Nea-Hellas.

Samuel courut aux hublots. Le croissant planétaire avait disparu. L'évasement des ailes déployées leur cachait désormais la silhouette bombée de Glensha.

Ce qui voulait dire que la navette s'était placée sur sa trajectoire finale.

Samuel chercha des yeux une arme, un outil, un instrument quelconque dont il pourrait se servir pour forcer la porte.

Il s'arrêta en se rendant compte que Leila s'était remise à parler avec l'ordinateur de bord, mais cette fois en utilisant seulement la langue de Nea-Hellas.

— Qu'est-ce que tu lui dis?

— Laisse-moi parler, Vlax! Cette navette a été construite sur Nea-Hellas. C'était l'habitude autrefois sur ma planète d'origine d'incorporer aux logiciels conçus chez nous des accès réservés aux personnes connaissant les mots de passe.

— Et tu les connais, toi?

— Silence, Vlax!

Elle reprit son dialogue en élevant la voix et en répétant certains mots avec insistance. La porte s'ouvrit enfin, presque avec répugnance. Ils s'élancèrent, prenant la coursive de droite et s'accrochant aux mains courantes pour vaincre l'accélération qui les tirait vers l'arrière.

Il n'y avait personne dans l'habitacle de pilotage. Ni terroriste ni pilote décédé à l'improviste. Rien qu'un oiseau qui se cognait aux parois en voletant. Un perroquet au plumage gris.

— Qu'est-ce que c'est que ce volatile! s'écria Leila, furieuse.

Samuel s'élança vers le tableau de bord, pressé de connaître la position exacte de la navette. Il respira mieux en constatant qu'aucun autre vaisseau n'était signalé à proximité. Et Glenshkok était loin. Aucune collision à craindre de ce côté.

Mais, pendant ce temps, l'appareil se rapprochait inexorablement de la haute atmosphère de Glensha.

Effrayé par l'éclat de voix de la fillette, le perroquet se réfugia au sommet d'un placard. Leila s'installa aux commandes et articula avec assurance:

— Je veux parler au centre de contrôle de Glenshkok.

— J'ai reçu l'ordre de ne pas communiquer avec l'extérieur, répliqua la voix suave de l'ordinateur.

— L'ordre de qui? Nous sommes seuls ici.

Le regard de Samuel se porta sur le perroquet. Le jeune homme commençait à soupçonner la vérité, mais il se tint coi.

— Il s'agit d'un ordre prioritaire, déclara la Mentalité sans répondre.

Leila tira la langue dans la direction de l'écran principal. Samuel fronça les sourcils:

— Je pensais que tu connaissais les mots magiques pour te faire obéir.

— C'est plus compliqué que ça, dit-elle, les dents serrées.

Elle s'interrompit, ses yeux s'arrondissant au fur et à mesure qu'elle déchiffrait les instruments du tableau de bord.

— Je ne peux pas annuler un ordre prioritaire, reprit-elle, mais je vais lui donner de nouvelles instructions. On ne lui a pas ordonné d'atterrir, mais simplement de suivre une certaine trajectoire, qui conduit inévitablement à l'écrasement.

— Quoi? On va s'écraser?

— Si la navette ne dévie pas de sa trajectoire, c'est sûr. Il va falloir qu'on tente un atterrissage d'urgence.

La Mentalité se fit entendre de nouveau:

— Je ne suis pas programmée pour atterrir à l'extérieur de l'astroport de Benshak-Ushod.

— Maudite machine de mes fesses! Je t'ordonne de passer en mode manuel. Si tu ne veux pas atterrir, je vais m'en occuper moi-même.

Samuel allait de surprise en surprise depuis quelques secondes, mais la réplique de Leila porta l'étonnement du jeune homme à son comble.

— Comment ça, tu sais piloter? s'exclama-t-il spontanément.

— J'ai appris il y a longtemps. Mais ça ne s'oublie pas.

Il y a longtemps? Quel âge avait-elle donc?

— Commande acceptée, déclara la Mentalité. Je passe en mode manuel.

— Ah, enfin!

La fillette fit glisser une section de la console, dévoilant un palonnier dont elle s'empara. Elle jeta un coup d'œil dans la direction de son compagnon.

— Installe-toi, Vlax. Et mets ta ceinture.

Samuel s'exécuta et boucla les harnais de sécurité sans songer à regimber. L'image transmise par les vidéocams se brouillait déjà, envahie par une luminescence dorée.

La navette venait de pénétrer dans la haute atmosphère de la planète. Elle allait si vite que l'air n'avait pas le temps de s'écarter et s'accumulait devant le nez de l'appareil, formant une masse prise entre le marteau et l'enclume. L'air soumis à cette extraordinaire pression se réchauffait au point de briller comme la flamme et des bribes de gaz embrasé s'écoulaient le long des flancs de la navette.

Enveloppé d'une gaine incandescente qui interdisait désormais tout contact avec l'extérieur, l'appareil survola la moitié d'un hémisphère avant de ralentir suffisamment pour donner à l'air surchauffé une chance de se dissiper.

Samuel s'essuya le front, étreint par un terrible sentiment d'impuissance. En son for intérieur, il résolut d'apprendre à piloter dès qu'il en aurait l'occasion.

Malgré la climatisation de la navette, la température ne cessait de monter. En serrant les accoudoirs, Samuel sentit l'appareil vibrer. C'était le moment le plus dangereux d'une rentrée dans l'atmosphère. Si la trajectoire déviait de quelques degrés, ils seraient incinérés en moins d'une minute...

Les minutes s'étirèrent. Puis, la lueur sauvage qui baignait l'intérieur du compartiment s'apaisa un peu. Samuel respira, même s'ils n'étaient pas encore tirés d'affaire. Il n'avait jamais eu aussi peur de mourir. Le nimbe flamboyant acheva de se dissoudre et la température baissa peu à peu.

Dorénavant, Samuel pouvait suivre de nouveau leur descente à l'écran. L'appareil abordait un continent marbré du jaune pâle d'immenses savanes ou déserts. Les taches noires des villes se touchaient de si près qu'elles barraient de bandes irrégulières toute la largeur du continent. Des bandes qui s'entrecroisaient et cernaient même les déserts les plus vastes.

Fatigué d'être ignoré, le perroquet poussa un petit cri d'agacement et traversa l'habitacle à tire-d'aile. Il choisit de se poser sur l'épaule invitante du jeune homme. Samuel, absorbé par le paysage dont les détails se précisaient de seconde en seconde, ne fit pas un geste pour le chasser.

Ils se dirigeaient vers une ville étalée au cœur du continent. Mashak. Des enfilades d'agglomérations moins importantes s'y rejoignaient pour se noyer dans la masse qui s'étendait sur des kilomètres et des kilomètres... Quelques battements de cœur plus tard, Samuel distingua les immeubles qui se dressaient le long des boulevards et composaient un échiquier de couleurs dures, aux cases gris acier et ocre brûlé.

Leila n'avait pas détaché les yeux des instruments, mais elle redressa la tête et jeta un coup d'œil à l'écran principal.

— Excellent! Nous allons atterrir en pleine ville. Maintenant, il n'y a plus qu'à sortir les roues.

Samuel vit la fillette hésiter, cherchant du regard l'instrument approprié. Elle décida enfin de faire appel à la Mentalité.

— Ordi, je t'ordonne de sortir les roues.

— Il m'est impossible d'obéir à cette instruction.

— Que veux-tu dire, ordi? J'invoque une urgence de classe zéro, de par les codes de commandement *Protérêotis*, *Êrythros*, *Alpha*.

Sa voix vibrante ne produisit pas le moindre effet. Dans son coin, le perroquet répéta:

— *Protérêotis Êrythros Alpha, Protérêotis Êrythros Alpha!*

— Ce modèle n'a pas de roues, déclara l'ordinateur de bord sans se troubler. Il a été conçu pour atterrir uniquement sur des pistes de lévitation magnétique.

Le cœur de Samuel oublia de battre.

— Il n'a pas de roues? articula Leila, abasourdie. Mais comment fait-il pour atterrir?

— Ce modèle est muni de patins adaptés aux atterrissages magnétiques.

La fillette resta bouche bée. Samuel l'interrogea tout bas:

— On ne peut pas se servir de ces patins pour atterrir?

— Sur une surface neigeuse ou glacée, peut-être. Mais pas sur une route en dur.

La fillette lui montra à l'écran la ville en contrebas. Mashak étirait ses tentacules jusqu'à l'horizon, où apparaissaient les premiers quartiers de Benshak. Leila avait placé l'appareil dans l'axe d'un immense boulevard qui s'allongeait à perte de vue. Aucune trace de neige ou de glace... À en juger par les étendues désertiques que Samuel avait aperçues plus tôt, il devait faire beau et terriblement chaud au cœur de Mashak.

— Et si on cherchait une voie de magtrain? proposa Samuel.

— En as-tu vu? dit simplement Leila. De toute façon, je doute que nos patins s'adapteraient aux rails magnétiques d'un magtrain.

Le Nou-Québécois se pencha quand même, rapprochant ses yeux de l'écran dans l'espoir de discerner le tracé d'une ligne de magtrain.

— Laisse tomber, Vlax, murmura Leila.

Elle alluma une dernière fois les moteurs de la navette, ralentissant un peu plus la descente de l'appareil. Samuel fixait l'écran des yeux. Il redoutait de voir des véhicules y circuler comme sur Nou-Québec, mais le boulevard était désert à perte de vue.

Les façades se succédaient, brouillées par la vitesse.

Les moteurs s'éteignirent. Samuel retint son souffle. Et ferma les yeux.

Le silence absolu. À part la rumeur lointaine produite par le vent de leur course. Il songea à ses parents, à ses amis de l'université, à tous ceux pour qui sa disparition resterait un mystère. Et il souhaita de mourir si vite qu'il ne s'en rendrait pas compte...

Leila chuchota quelques mots inintelligibles.

Le choc initial précipita Samuel contre les courroies du harnais de sécurité. Le contrecoup l'enfonça dans le fauteuil et le jeune homme se cramponna, assourdi par le fracas du raclement de la navette sur la chaussée, secoué par les vibrations comme un des jouets que Pallikari tourmentait à plaisir.

Il n'aurait su dire quand le supplice s'arrêta. La navette ne bougeait plus. Il ouvrit les yeux et la vérité lui apparut.

Ils étaient vivants. Et ils étaient arrivés sur Glensha.

3

Le désert qui était une ville

Les écrans s'étaient éteints. La lumière rougeâtre de l'éclairage d'urgence baignait l'habitacle. Dans le fauteuil voisin, Leila était une masse inerte, le menton appuyé sur la poitrine.

Lorsque Samuel voulut s'étirer pour la toucher, une douleur subite poignarda son épaule.

— Aïe!

Le perroquet, effarouché par son cri, s'envola lourdement. Samuel examina son épaule blessée. Il avait oublié la présence du perroquet et les serres du volatile avaient crevé le tissu mince de sa chemise, entaillant la peau. À côté de lui, Leila s'ébroua, tirée de sa torpeur par le bruit, et elle se mit à déboucler son harnais.

— Sortons vite, dit-elle. Ça pourrait sauter!

— Tu crois?

— Reste à bord si tu y tiens. Moi, je file!

Elle déclencha l'ouverture d'une trappe qui donnait sur un court boyau traversant l'épaisseur de la coque. Elle s'y engagea les pieds en premier, puis hésita en fixant le perroquet. L'oiseau, tapi dans un recoin inaccessible, roulait des yeux, les plumes hérissées.

— Tu viens? dit-elle.

Le perroquet croassa soudainement:

— Méthane t'aime! Méthane t'aime!

Il n'avait pas fait mine de bouger. Leila secoua la tête.

— On dirait qu'il a peur.

— Ou qu'il a eu peur, suggéra Samuel. Ton atterrissage y est peut-être pour quelque chose.

La fillette l'ignora et dit:

— Laissons la porte ouverte. Il se décidera peut-être à nous suivre.

Elle disparut dans l'étroit passage. Samuel n'hésita pas longtemps, se glissant à son tour dans le boyau.

Il émergea à l'air libre, au ras d'une chaussée de polymères usés par le temps. Il se releva en ménageant son épaule et suivit Leila qui s'éloignait à la course.

Lorsqu'il rejoignit la petite, il était hors d'haleine. Le contrecoup de sa frayeur l'avait rattrapé et il n'arrivait pas à maîtriser un léger tremblement de tout son corps. Leila s'était assise sur un banc public, à peine essoufflée, et elle le regarda haleter.

— Tu sais, Vlax... Je m'excuse pour l'atterrissage.

Samuel secoua la tête, songeant à son premier atterrissage en catastrophe avec Ferrale Filion.

— Ce n'est pas... la première fois, dit-il, le souffle haché. Mais l'autre fois... la pilote était un peu plus expérimentée...

— J'ai eu si peur, murmura-t-elle.

Le Nou-Québécois sourcilla.

— On ne l'aurait pas dit. Si tu voulais goûter à l'aventure, tu es servie.

— Je n'y tenais pas à ce point.

Elle se leva et montra du geste le boulevard qui avait servi de piste d'atterrissage à la navette glog. Samuel se retourna.

Leur appareil gisait au milieu de la rue. La navette avait labouré le revêtement de l'avenue sur un bon kilomètre. La solidité de la coque de l'engin spatial les avait sauvés, mais la navette avait tracé un large sillon au milieu de la chaussée. Samuel et Leila attendirent un long moment, debout au milieu du boulevard désert, encore sous le coup de l'émotion.

Lorsque Samuel s'assit, il regarda un long moment ses mains trembler sans qu'il pût les maîtriser, puis il les enfouit entre ses jambes. Malgré sa respiration hachée, il n'était plus aussi essoufflé.

Son cœur battait à toute vitesse. *C'est donc ça que ça fait de manquer mourir*, se dit-il. La première fois, avec Ferrale, il avait été inconscient du danger. Cette fois, isolé sur un monde étranger, il se rendait mieux compte...

Au loin, le soleil se rapprochait de l'horizon, tapant toujours aussi dur. Rien d'étonnant de la part d'une étoile de type F3, à l'éclat particulièrement blanc et impitoyable.

Le nuage de poussière soulevé par la navette retombait peu à peu. Personne ne paraissait s'intéresser à eux. Pas un véhicule n'apparut, pas une tête ne se montra aux fenêtres des immeubles surplombant la chaussée.

À croire que le fracas de l'atterrissage n'avait pas attiré l'attention.

— C'est clair qu'il n'y a personne dans ce quartier, murmura Leila. Ou sinon, ils ne sont pas très curieux.

— Il fut un temps où la planète comptait trente-neuf milliards de Glogs, dit Samuel. Mais la population a beaucoup diminué. Des quartiers entiers sont abandonnés, à l'exception de quelques commerces et services.

— Essayons de trouver quelqu'un.

— Et notre copilote? demanda Samuel, moqueur.

Leila sursauta, se tournant vers la navette échouée. Le perroquet venait de surgir par l'issue de secours. Il fit d'abord mine de s'envoler vers les hauteurs, puis se ravisa et fila droit sur eux. Leila tendit machinalement le bras et l'oiseau se posa sur sa main. La fillette esquissa une grimace de douleur, mais les serres du perroquet n'avaient pas entaillé sa peau.

— Il est bien dressé, fit observer Samuel.

— Tu crois vraiment que c'est lui qui a déclenché le décollage de la navette?

— Qui d'autre? C'est le point faible des interfaces vocales. Elles sont faites pour comprendre. Et pour obéir.

Le perroquet se mit à escalader le bras de la fillette, se perchant enfin sur son épaule avec un cri triomphal.

— Il est gentil, murmura-t-elle en souriant.

— Il a failli nous tuer, répliqua Samuel.

Leila lui tourna le dos et se mit à remonter le boulevard, regardant à droite et à gauche. Samuel s'empressa de la rejoindre.

— Il ne faudrait pas trop s'éloigner, dit-il.

Le choc de l'atterrissage commençait à se dissiper. Le cerveau du jeune homme fonctionnait de nouveau, tant bien que mal, et ses réflexions n'avaient rien de réjouissant.

Tout ce dont il était sûr, c'était de ne rien comprendre. Quelle affaire! Un attentat sans victime désignée et sans coupable identifiable. Plus il y pensait, plus il se perdait en hypothèses, égaré en plein brouillard. Visibilité nulle. Il avait connu des tempêtes de neige sur Nou-Québec où il était plus facile de se retrouver.

L'intrusion du perroquet dans la navette n'était sûrement pas un accident. Mais quelle drôle d'idée de se servir d'un oiseau supérieurement entraîné pour... Mais pour faire quoi justement, sinon provoquer l'écrasement de la navette?

Samuel avait beau se creuser la tête, il n'arrivait pas à imaginer les raisons d'un tel acte. Ce n'était quand même pas pour se débarrasser de lui ou de Leila! Comment des assassins auraient-ils prévu leur arrivée en avance?

La fillette interrompit le fil de ses pensées.

— Tu crois qu'on va venir nous chercher?

— Même si le quartier est complètement désert, notre atterrissage n'est sûrement pas passé inaperçu. Tous les radars et les satellites de la région ont dû suivre notre descente. Les autorités vont envoyer une équipe de sauveteurs d'un instant à l'autre. J'en suis sûr!

— C'est tellement silencieux... murmura Leila.

Samuel s'immobilisa. Il tendit l'oreille. Il pouvait entendre le chuchotis du vent dans les ruelles, le crissement du sable balayé par des tourbillons, les grincements de la coque de la navette qui refroidissait au loin... Il régnait un calme complet.

Soudain, Samuel se demanda combien de temps il leur faudrait marcher pour trouver quelqu'un.

— Peut-être qu'on devrait essayer d'appeler, suggéra-t-il.

— Tu as un micrord? J'ai laissé le mien à bord du *Katafigion*. On aurait pu s'en servir pour me retrouver, et je ne voulais pas.

Samuel sortit son micrord et jura: l'appareil glissé dans une poche de son pantalon avait souffert de l'atterrissage en catastrophe. Le matériau souple était fendillé sur toute sa longueur. Le jeune homme déplia le micrord en usant de mille précautions. Lorsqu'il l'exposa à la lumière du soleil couchant, l'écran s'illumina par intermittence avant d'afficher l'icône de bienvenue habituelle.

— Ouf!

Samuel invoqua la fonction de communication. Au bout d'un moment, l'appareil se brancha sur le réseau planétaire et signala qu'il était prêt à communiquer. Le jeune homme n'hésita qu'un instant. Maintenant qu'il était libre, il y avait une personne qu'il désirait appeler avant toute autre.

— J'aimerais parler à Ferrale Filion, capitaine d'un astronef immatriculé sur Nou-Québec, le *Christophe*.

Quelques secondes plus tard, les traits familiers de l'aventurière se dessinèrent dans la fenêtre de l'interface de communication.

— Ferrale, c'est Samuel; je suis sur Glensha.

Le visage à l'écran fronça légèrement les sourcils, exprimant une perplexité polie. Le Nou-Québécois sentit l'angoisse le gagner. Que se passait-il? On aurait dit qu'elle ne le reconnaissait pas.

— Je n'accepte pas cette identification, répondit-elle. Vous portez l'uniforme d'un équipage de Nea-Hellas et votre absence de réactions émotionnelles suggère que vous êtes un morphe reconditionné.

Machinalement, le jeune homme réprima son cri de protestation. Était-ce une façon de le mettre à l'épreuve?

— Ferrale, qu'est-ce que... reprit-il, avant d'être saisi d'un doute.

Il avait beau avoir changé en trois ans et demi, Ferrale l'aurait sûrement reconnu, même sous les traits d'un morphe. C'était soit une ruse soit...

— Cristofine!

Tel était le nom de la semi-intelligence artificielle qui hantait les circuits intégrés du *Christophe* et qui était capable de prendre l'apparence de Ferrale au vidéophone. Elle traitait les appels de routine de l'aventurière et permettait à celle-ci de se consacrer à des tâches plus importantes.

— Cristofine, c'est moi! Samuel!

— Je n'accepte pas cette identification, répéta la Mentalité artificielle avant de s'apercevoir qu'elle se trahissait. Euh... je veux dire que je ne crois pas que... Un instant, s'il vous plaît.

Son image s'effaça, remplacée par une annonce vantant les possibilités commerciales du *Christophe* comme cargo. L'apparition de Ferrale interrompit l'énumération des soutes disponibles, pressurisées ou non, réfrigérées ou non, de l'astronef.

Cette fois, le regard de la nouvelle venue s'illumina.

— Samuel, enfin! Je commençais à m'inquiéter. Tu n'as pas eu trop de mal à te rendre?

Le jeune homme jeta un coup d'œil à la navette accidentée et toutes les péripéties de son voyage depuis Nou-Québec lui revinrent. De sa première incarnation d'un morphe, vite devinée par Leila, à l'atterrissage tumultueux auquel il venait de survivre.

Il haussa les épaules.

— Une croisière d'agrément.

Le perroquet s'agita soudain sur l'épaule de Leila.

— Vilain oiseau! Vilain oiseau! cria-t-il.

Samuel s'empressa d'orienter le micrord de sorte que Ferrale pût apercevoir le volatile. L'aventurière s'étonna:

— C'est à moi qu'il parle?

— Euh... je ne sais pas. Ce qui est sûr, c'est que je suis bloqué à la surface de Glensha, sans crédit et avec une fillette sur les bras. Et je ne compte pas le perroquet.

Leila fit la moue en entendant ces mots, mais Samuel ignora sa mine vexée. Ferrale le considérait d'un regard calculateur:

— On vient d'annoncer l'écrasement d'une navette détournée de la station Glenshkok. Ne me dis pas que tu es mêlé à ça, Samuel!

— Je te raconterai tout, promit le jeune homme, désespérant de lui expliquer ce qu'il n'avait pas encore compris lui-même. Mais il faut que tu viennes nous chercher.

Ferrale fronça les sourcils.

— Voyons, comment est-ce possible? On a annoncé la destruction complète de l'appareil... Bon, nous tirerons ça au clair plus tard. En attendant, essayez de vous cacher. J'ai les coordonnées de ton appel. J'arrive le plus tôt possible.

Elle coupa la communication au moment où Samuel allait lui demander si elle se trouvait à la surface de Glensha ou à bord d'une station en orbite.

Le Nou-Québécois soupira et dit:

— Je ne sais pas quand elle sera là. Essayons de trouver un endroit où passer la nuit au cas où.

Ils remontèrent l'avenue, s'éloignant de la navette. Aiguillonné par le silence, Samuel pressa le pas. Sans s'en apercevoir, il distança peu à peu Leila malgré tous les efforts de celle-ci. Quand elle l'appela et qu'il se retourna, il découvrit que la petite aristocrate s'était arrêtée, hors d'haleine, à une vingtaine de pas.

— Ne me laisse pas seule, Samuel.

Elle l'avait appelé par son nom!

— Mais non. Je n'oublie pas ce que tu as fait pour moi, Leila. Viens, je te promets de marcher moins vite.

Lorsqu'elle l'eut rejoint, il la prit par la main et ils poursuivirent leur chemin. La chaleur ralentissait leurs pas et tordait les perspectives. Samuel se prit à regretter la climatisation de l'astronef. Le soleil sans pitié cinglait leurs visages et les poussait vers la fraîcheur du côté ombreux de l'avenue.

Leila dévorait des yeux les façades et se perdait parfois dans la contemplation du ciel bleu, traversé par des écharpes vaporeuses, au point de trébucher sur les inégalités du chemin.

— C'est grand, murmura-t-elle.

Et Samuel se souvint qu'elle n'avait jamais vu le ciel autrement qu'à l'holovision.

La navette n'était plus qu'un point à peine visible au bout de la perspective rectiligne lorsqu'ils choisirent un édifice au hasard. Une porte entrouverte révélait l'amorce d'un escalier qu'ils grimpèrent jusqu'à l'étage.

— C'est grand, répéta Leila.

Sa toute petite voix résonna sourdement dans l'espace dénudé. Samuel s'arrêta lui aussi sur le seuil de l'immense pièce qui semblait occuper l'étage tout entier. Une table

empoussiérée et des chaises abandonnées en constituaient tout l'ameublement.

— Mais il n'y a personne, constata le Nou-Québécois, et les fenêtres donnent sur l'avenue. On pourra voir venir...

Il ne compléta pas sa phrase. De qui redoutait-il donc la venue? Il ne savait pas, mais il n'arrivait pas à se défaire d'un sentiment de malaise. Ils avaient échappé de peu à la mort et celle-ci rôdait encore. Même si son corps meurtri n'aspirait qu'au repos, Samuel ne se sentirait en sécurité qu'une fois à bord du *Christophe*.

Leila ne l'écoutait pas, de toute façon. Elle avait couru jusqu'à la fenêtre la plus proche, essuyant la poussière pour regarder à l'extérieur. La fillette fit la grimace en n'apercevant personne.

— Il faudra rappeler ta capitaine pour lui indiquer où nous sommes, dit-elle.

— Je pense que c'est Ferrale qui appellera en ne nous trouvant pas.

Au fond, une autre série de fenêtres donnaient sur un parc. Samuel fouilla du regard les parterres qu'envahissaient les ombres étirées d'une paisible fin d'après-midi. Les pelouses étaient désertes. Le fil plus sombre d'un ruisseau aux méandres soigneusement dessinés traversait la portion visible du parc. Il alimentait des étangs entourés de fleurs colorées, avant de disparaître sous le porche voûté d'un monument aux formes abstraites.

Samuel fit la grimace. Il n'aurait su mettre le doigt sur ce qui distinguait ce parc de ceux de Nou-Québec. Pourtant, quelque chose dans l'arrangement de la végétation ou des plans d'eau lui rappelait puissamment qu'il était un étranger sur ce monde.

Leila le rejoignit. Avec le perroquet juché sur son épaule, elle ressemblait à une pirate miniature, comme dans un feuilleton historique à l'holovision. Le rapprochement dérida le jeune homme, qui se fit aussitôt demander par la fillette:

— Qu'est-ce qui te fait sourire?

— Ton nouvel animal familier. Il a l'air de trouver naturel qu'on l'adopte. Et on jurerait qu'il connaît la réponse à toutes nos questions.

Le Nou-Québécois agita son index sous le bec de l'oiseau.

— Toi, tu finiras bien par parler, plaisanta-t-il.

D'un geste vif, le perroquet darda la tête et tenta de pincer l'extrémité menaçante.

— Aïe! cria Samuel, la peau cisaillée par le tranchant du bec.

L'oiseau déploya ses ailes et s'élança d'un vol zigzagant jusqu'au fond de la pièce. Il se percha sur le dossier d'une chaise repoussée dans un coin, le plumage ébouriffé.

— Vilain oiseau! Vilain oiseau! articula-t-il en fixant ses yeux sur le Nou-Québécois.

— Parle pour toi, répliqua Samuel, qui comprimait la peau coupée pour empêcher son doigt de saigner. Quel grincheux!

— Peut-être que, toi aussi, tu serais agressif si on avait essayé de te tuer...

— Quoi! Tu penses que c'est lui qu'on...

Samuel se retourna vers le perroquet blotti dans son encoignure. Le volatile ne s'occupait plus d'eux. La tête baissée, il piquetait nerveusement les plumes de sa poitrine.

Le Nou-Québécois essaya de réfléchir. Il avait tenu pour acquis que l'écrasement programmé par l'oiseau avait pour but de se débarrasser de quelqu'un...

— C'est un animal précieux, voyons, protesta-t-il. Je suppose qu'on aurait pu se servir de lui pour détourner la navette, mais à quoi rimerait une mission-suicide?

— Souviens-toi que la navette était sur le point de s'écraser au cœur de Mashak... Ce n'aurait pas été un suicide, mais un crime qui aurait pu faire de nombreuses victimes. Et si on avait retrouvé la trace de ce perroquet, on aurait sûrement blâmé son propriétaire.

— Ah, fit Samuel en comprenant, tu penses à un coup monté...

— Qui sait?

Samuel examina longuement le perroquet. Son plumage, gris comme de l'ardoise, se confondait avec le béton poussiéreux des murs. Le crépuscule faisait de l'oiseau une tache d'ombre parmi les ombres. Une puce d'identité était-elle implantée sous la peau, cachée par le plumage?

Braquant son micrord sur l'oiseau, Samuel exigea une identification, mais l'appareil ne capta aucun signal, se contentant de reconnaître un *Psittacus erithacus altairensis* d'âge indéterminé, perché sur une chaise à l'usage des Glogs.

— Je me demande comment il s'appelle.

Le perroquet s'était calmé. Il parut les entendre et il croassa:

— Méthane! Méthane!

Samuel tressaillit:

— Tu crois que c'est son nom?

— Peut-être... Je me demande s'il vient d'ici.

— Pourquoi dis-tu ça?

Leila lui montra les torchères jaillissant du sol du parc. La lueur de leurs flammes pâles était plus vive maintenant que le jour tombait.

— Tu sais ce que ces trucs brûlent?

— Non.

— Du méthane produit par des couches et des couches de déchets enfouis sous le sol.

— Ah, fit Samuel, interdit. Et tu crois qu'il y a un rapport?

— Peut-être.

— Méthane veut un biscuit, dit le perroquet. Méthane veut un biscuit. Biscuit! Biscuit!

— Oui, oui, murmura Samuel, nous aussi, on a faim. Et soif.

L'obscurité serait bientôt complète, mais il fit le tour de l'étage par acquit de conscience, cherchant les traces d'une installation de plomberie. Même si les Glogs n'avaient pas besoin d'autant d'eau que les humains pour survivre, ils avaient quand même besoin de boire. Il fit coulisser des portes donnant sur des réduits qui avaient peut-être servi de cuisine ou de toilettes, mais il n'y vit que des tronçons de tuyaux, parfaitement secs.

Pendant ce temps, Leila s'était pelotonnée au pied du mur, à côté de la chaise dont le dossier servait de perchoir au perroquet. Méthane avait rentré son bec et une patte sous ses plumes, sans doute pour contrôler la température de son corps pendant son sommeil. Son épais plumage l'aiderait à conserver un maximum de chaleur.

Étouffant un bâillement, Samuel s'accouda à la fenêtre. Il ne devait pas se laisser gagner par le sommeil. Ferrale appellerait bientôt. Sinon, les autorités glogs allaient bien finir par venir jeter un coup d'œil à l'épave de la navette... Soudain, il tressaillit.

— Leila, murmura-t-il. Nous avons de la visite.

La petite se redressa, les sourcils froncés, tout de suite tirée de son assoupissement.

— C'est déjà ta capitaine?

Samuel se rejeta dans l'ombre de la pièce, suivant du regard la progression du flotteur dont les phares balayaient la chaussée fissurée. L'appareil arrivait de la direction où se trouvait la navette et il se déplaçait à la vitesse d'un homme au pas. Comme s'il suivait une piste...

Samuel ne fut pas autrement surpris de le voir s'arrêter devant leur immeuble. Vu de plus près, le flotteur n'avait pas l'air plus reluisant que le reste de l'avenue en ruine. Sa coque bosselée était ornée d'une multitude de logos juxtaposés, dont les slogans employant la graphie des Glogs étaient parfaitement illisibles pour le Nou-Québécois.

— Non, je ne crois pas, dit-il enfin en réponse à Leila. Ce sont peut-être les autorités locales.

— Elles font du porte à porte, à ton avis?

Le Nou-Québécois sursauta, mais Leila avait vu juste.

Deux Glogs étaient descendus de l'appareil, un grand et un petit. Le grand étala sur le sol devant l'entrée de l'immeuble un tapis aux motifs géométriques. Le petit disposa sur le tapis un véritable bric-à-brac: casseroles vides, sachets de substances indéterminées, rouleaux d'étoffes multicolores, outils aux fonctions impossibles à deviner...

Ils avaient l'air d'appartenir à une tribu errante qui sillonnerait les rues de la ville désertée comme des nomades dans un désert autrefois.

Leila dévora les Glogs des yeux. En avait-elle déjà vu en chair et en os? Comme tous ceux de leur espèce, ils étaient plus petits que la moyenne des adultes humains. Pourtant, Samuel savait d'expérience que les membres en apparence graciles camouflaient une force surprenante.

La peau verte, le crâne écailleux, les yeux jaunes, le visage dépourvu de nez, les évents à la base du cou: ce qui frappait souvent la première fois, c'était l'aspect étonnamment humanoïde — malgré toutes les différences de détail. Et de cette ressemblance, que les autres espèces extraterrestres étaient loin de partager, naissait un invincible sentiment d'étrangeté.

Le grand Glog s'était assis à même le sol, derrière le tapis. L'autre était remonté à bord du flotteur. Par l'ouverture de la porte béante, Samuel le vit sortir un réchaud à trois brûleurs et le placer sur une banquette.

Le petit Glog posa une sorte de théière sur la première flamme. Sur la seconde, il disposa une grande plaque de cuisson, y versa des boulettes confectionnées d'une pâte inconnue et se mit à les remuer avec une spatule. En brunissant, les boulettes dégagèrent une odeur appétissante.

Samuel sentit son ventre se contracter. À son côté, Leila murmura, revenue de son étonnement:

— On jurerait qu'ils savent que nous sommes là. Si on allait voir ce qu'ils veulent?

— Tu es folle?

Samuel avait haussé le ton malgré lui. Son éclat de voix alerta les Glogs.

— Vous pouvez descendre, lança le plus grand en usant d'un *código* parfait, il y en a pour tout le monde.

Le Nou-Québécois se rejeta vers l'arrière, en essayant d'entraîner Leila dans l'ombre avec lui.

— Eh bien, moi, j'ai trop faim, s'écria la fillette en s'arrachant à la prise de Samuel.

En un clin d'œil, elle s'élança dans l'escalier. Samuel pesta et se résigna à la suivre. Lorsqu'il émergea de l'immeuble, une question inattendue l'accueillit:

— Où est le perroquet?

Où était donc Méthane? Il ne les avait pas accompagnés. Samuel regarda la façade derrière lui, cherchant la fenêtre de l'appartement où ils s'étaient réfugiés.

Le perroquet surgit de la fenêtre béante et fila en rasant les murs. Il disparut presque aussitôt, s'enfonçant dans l'ombre de plus en plus épaisse. Les échos de son vol leur parvinrent un instant encore, puis s'estompèrent.

— Je vois, dit le plus grand des deux Glogs, très calme. Croyez-vous qu'il reviendra tout seul?

— À vrai dire, je l'ignore, avoua Samuel. Mais comment saviez-vous que...

L'autre Glog débarqua du flotteur et leur montra l'intérieur du flotteur.

— Puis-je vous inviter à prendre le thé avec nous?

— Euh, c'est une plaisanterie... n'est-ce pas?

— Non.

Samuel dut en convenir. Le pistolaser qui était braqué sur lui, sorti avec une rapidité sidérante, n'avait rien d'une plaisanterie.

4

Dans la cage

Ils cédèrent à la menace et montèrent à bord du flotteur. Inutile de chercher à discuter avec un pistolaser.

— Vous ne voyez pas où le perroquet aurait pu se réfugier?

Le plus petit posa la question tout en rangeant son matériel de cuisine, sans avoir offert ni thé ni nourriture à ses hôtes involontaires. Son compagnon fit claquer ses évents avec un bruit sec.

— Nous les ferons parler plus tard. L'animal ne peut pas être loin. Mais si nous traînons, une patrouille peut nous surprendre.

Il fit décoller l'engin en catastrophe. Aqueducs, immeubles en ruine et parcs déserts basculèrent. Samuel et Leila, sanglés dans leurs fauteuils, se retinrent aux accoudoirs. Le jeune homme, malgré les acrobaties du pilote, ne détacha pas le regard du hublot où tout valsait.

En ce moment même, Ferrale arrivait peut-être aux commandes d'une navette ou d'un appareil comme celui où ils se trouvaient... Le flotteur de leurs ravisseurs apparaîtrait comme suspect dans un quartier aussi dépeuplé. Plus il mettrait de temps à regagner sa base, plus il y avait de chances qu'il fût repéré.

D'ailleurs, le pilote semblait craindre d'être aperçu. Il multipliait les piqués entre les édifices, filait au ras des rues, louvoyait entre les arbres d'un parc...

Soudain, le flotteur bondit par-dessus une ultime haie de fourrés épineux.

L'instant d'après, il se posait en douceur au centre d'un dépotoir.

Quand les deux captifs émergèrent du flotteur, ils contemplèrent avec ébahissement le paysage qui les entourait.

Des carcasses de véhicules divers s'empilaient à perte de vue. Tri-roues, glisseurs abîmés, flotteurs cabossés, wagons de magtrains, navettes suborbitales noircies, atmo-fusées antiques...

Samuel poussa un soupir découragé. Un fait lui sautait aux yeux. Le flotteur de leurs ravisseurs, posé au milieu de cet entassement d'épaves, serait comme une aiguille dans une botte de foin. Ferrale aurait beaucoup de mal à le retrouver...

— Allons, les enfants, dépêchons! lança le grand Glog en enfonçant le bout de son pistolaser dans les côtes de Samuel.

— Rien ne presse, grommela son compagnon. Moi, je te dis que le patron ne sera pas si content de nous voir revenir sans le perroquet.

— Au contraire! Il sera soulagé de savoir que le volatile est vivant. Si les officiels de Glenshkok n'avaient pas déduit que le perroquet s'était introduit à bord de la navette, les équipes au sol auraient déjà mis la main sur l'oiseau.

— Heureusement qu'il a pu déclencher cette explosion monstre dans le quartier voisin au moment de l'écrasement, ricana le petit. Les autorités n'y ont vu que du feu. Ça bourdonne là-bas, mais il va falloir un moment à tout ce monde pour se rendre compte qu'il n'y a pas le moindre reste de navette dans le coin...

Samuel n'y comprit rien. Leila aussi avait écouté avec attention, au point de ne pas regarder où elle mettait les pieds. Soudain, quelque chose éclata sous son soulier avec un claquement lourd et moite.

— *Molynsis*! Qu'est-ce que c'est que ça? demanda-t-elle avec une moue dégoûtée.

Les restes d'une sorte de larve visqueuse apparurent lorsqu'elle examina sa semelle.

— C'est une limace métallovore, expliqua le premier Glog. Elles sont partout. Leur bave dissout les matériaux des épaves autour de vous. Elles reviennent ensuite absorber leur bave enrichie de métaux pour fabriquer les coquilles où grandissent leurs petits.

— Et vous récoltez ces coquilles pour les recycler? devina Leila.

— Pas exactement. Ces limaces ont un prédateur, le chélonoïde croque-coquilles, qui ressemble aux tortues de votre planète d'origine. En plus gros. Le chélonoïde adore les jeunes limaces. Il avale sans broncher leurs coquilles et incorpore les métaux qu'elles contiennent à sa propre carapace. C'est cette carapace que les employés du dépotoir récoltent.

Leila et Samuel ouvrirent de grands yeux, ébahis par cette loquacité hors de propos.

— Ce sont des espèces naturelles? demanda Leila à tout hasard.

— Vous savez, la civilisation glog existe depuis des milliers d'années. Et donc les dépotoirs comme celui-ci... Tout ce que je sais, c'est que ces espèces ne datent pas d'hier.

— Pourquoi nous racontez-vous tout ça? grommela Samuel.

— Je vous explique tout ceci pour que vous ne cherchiez pas à vous enfuir, ajouta le Glog en montrant les dents. Les chélonoïdes ne sont pas féroces, mais ils *raffolent* des petits limaçons. Ils peuvent sentir les coquilles fraîches de loin. Et rien ne les arrête quand il s'agit d'en croquer une.

Son compagnon les mit en joue avec son pistolaser. Le premier Glog s'était interrompu le temps de sortir deux épais colliers métalliques du sac qu'il portait en bandoulière.

— Ces colliers, reprit-il, sont fabriqués avec des coquilles brutes de limaçons. Nous avons découvert que leur matériau, quand il réagit avec les sels de la sueur humaine, dégage l'odeur caractéristique d'une coquille fraîche.

Samuel examina plus attentivement les colliers en question. Ils étaient composés de plusieurs morceaux d'apparence grise et rugueuse, sans doute découpés au ciseau à même des coquilles de limaçons, reliés par des rivets et des charnières.

Le Glog reprit:

— Nous allons vous poser ces colliers de manière à ce que vous ne puissiez pas les enlever. Ils seront scellés par des serrures bio-chimiques gouvernées par mes propres éma-nations. Si vous essayez de nous quitter en passant par le dépotoir, vous attirerez aussi-tôt quelques chélonoïdes affamés. Et s'ils se mettent à vous ronger le cou pour croquer ce qu'ils croient être des coquilles de limaçons, je ne donne pas cher de votre peau....

Il s'immobilisa derrière Leila et boucla sur sa nuque un des colliers, manipulant le méca-nisme de fermeture de façon à l'ajuster au cou de la petite. Il se tourna ensuite vers Samuel.

— Baisse-toi!

Samuel s'exécuta, les dents serrées.

Le collier n'était pas vraiment étroit, mais Samuel éprouva tout de suite une sensation d'étouffement. Il résista à l'envie d'y porter la main pour en éprouver la solidité. Il ne dou-tait pas que le métal résisterait à toute la force de ses membres.

Du coup, il regarda d'un autre œil le dé-potoir environnant. Alors que la nuit tombait, l'empilement d'épaves prenait un air sinistre. Chaque grincement lui rappelait les paroles des Glogs. Il épia à la dérobée les monceaux de carcasses les plus proches, guettant l'ap-parition du monstre promis.

— Allons, dit le subalterne à mi-voix, ils commencent à sentir. Rentrons.

Son supérieur fit siffler l'air entre ses évents.

— Tu as raison. Nos amis empestent la limace fraîche. Hâtons-nous!

Samuel sourcilla. Pour la première fois, il se rendait compte que les deux Glogs n'avaient pas cessé d'employer le *código* entre eux. Curieux... Pourquoi n'utilisaient-ils pas la langue kilokkk?

Derrière eux, un craquement anodin se transforma brusquement en tintamarre de ferrailles entrechoquées. Samuel se retourna et il aperçut une tête affreuse qui jaillissait d'un amas de glisseurs aux vitres fracassées.

— Dépêchez-vous! s'écria le plus petit des Glogs.

Mais le Nou-Québécois resta sans bouger, frappé par l'apparence de la bête.

Plus large que haute, la tête du chélonoïde était dominée par une bouche étroite, aux lèvres plates, qui ressemblait à l'embouchure d'un laminoir à métaux. Une étrange crête filetée ornait le sommet du crâne: l'organe de l'odorat, sans doute. Les yeux globuleux, accrochés de part et d'autre de la bouche, roulaient furieusement. Ils cherchaient la source de l'odeur alléchante qui avait attiré l'attention du monstre.

À elle seule, la tête était aussi grosse qu'un homme.

Une patte écailleuse apparut, déplaçant la carcasse tordue d'un tri-roues comme si elle était en papier. De nouveaux grincements se firent entendre. Une masse noire et huileuse se souleva derrière la tête du chélonoïde, emplissant l'horizon d'une colline en mouvement. L'animal s'était caché sous un enchevêtrement de flotteurs aux ailerons amputés et les épaves glissaient maintenant du haut de sa carapace bombée.

— Viens, dit Leila en tirant Samuel par la manche.

Le Nou-Québécois s'ébranla, arraché à sa fascination.

— Essaie de t'enfuir, ajouta-t-elle dans un souffle.

Lorsqu'un des Glogs essaya de les séparer, elle s'agrippa à son bras. Un instant, le pistolaser se détourna de Samuel et le jeune homme bondit.

L'autre Glog avait pris les devants, trop pressé de s'éloigner des chélonoïdes. Samuel eut le temps de s'engouffrer dans le dédale de carcasses, comptant sur la pénombre crépusculaire pour l'aider à se cacher. Il entendit les deux Glogs se traiter de tous les noms.

Un sourire lui vint aux lèvres. La distance étouffa peu à peu les éclats de voix des Glogs. Ralentissant sa course, le Nou-Québécois contourna un rouleau compresseur détaché de la machine de terrassement à laquelle il avait appartenu. Le souffle court, Samuel s'appuya à la masse rouillée pour réfléchir.

La consternation l'envahit aussitôt. Qu'est-ce qui lui avait pris? Il avait fui comme un lâche et abandonné une petite fille qui avait besoin de lui.

Même si elle lui avait demandé de détaler, il aurait dû refuser. Il n'aurait pas dû l'écouter. Mais il avait pris le pli d'obéir à la fillette à bord du *Katafigion*... Devait-il rebrousser chemin? À sa grande honte, il s'aperçut qu'il était tenté de poursuivre, de fuir le dépotoir. Il n'abandonnerait Leila que pour mieux revenir, avec de l'aide. N'était-ce pas ce qu'il avait de mieux à faire?

D'où il se trouvait, Samuel pouvait tout juste apercevoir la cime de quelques tours d'habitation qui se dressaient à l'extérieur du dépotoir. Il fixa du regard les silhouettes sombres en espérant voir s'allumer des fenêtres. S'il attendait jusqu'à la tombée de la nuit...

L'horizon se gondola. Des vestiges d'appareils ménagers rebondirent en cascade. Indistincte dans l'ombre du soir, une tête de chélonoïde émergea en face de Samuel.

Le jeune homme n'attendit pas de voir si l'animal l'avait repéré. Il rebroussa chemin en galopant et faillit se jeter dans les bras des Glogs.

Le plus petit des deux montra les dents:

— Je savais bien qu'on te reverrait.

L'autre Glog tenait Leila sous le bras. La fillette releva la tête et Samuel lui adressa un regard désolé.

— Je m'excuse, Leila.

— Ça ne fait rien.

Samuel se demanda pourquoi elle avait l'air si contente, mais il ravala ses questions.

— Maintenant, on ne blague plus, grogna le Glog qui tenait Leila. Suivez-nous ou on vous laisse dehors.

Au centre du dépotoir, une masse bétonnée dressait ses rampes et ses grues pour le traitement du métal brut. L'édifice ressemblait à une machine taillée dans une pierre brune usée par le temps. Les seules ouvertures de cette raffinerie étaient immenses, taillées pour engouffrer des carcasses de chélonoïdes et recracher des lingots géants. Aucune fenêtre ne se découpait dans les flancs de l'unité de traitement, mais les

Glogs s'arrêtèrent devant une étroite porte de plastique d'apparence plutôt fragile.

Samuel s'était attendu à découvrir un portail lourdement blindé, mais le choix du plastique s'imposait, évidemment, puisque cette substance n'attirait ni les limaces métallovores ni par conséquent les chélonoïdes.

L'intérieur de l'installation leur réserva une autre surprise.

Après avoir descendu quelques marches, Leila hoqueta de stupeur. Samuel resta bouche bée. Il s'était attendu à tout, sauf à ça...

La base souterraine des Glogs ressemblait à un palais barbare. Parois de pierre nue, grossièrement taillée. Sol tapissé de fourrures. Torches fixées aux murs, qui brûlaient en dégageant une fumée grasse... On aurait dit le décor d'un simul-jeu se déroulant à quelque époque reculée de l'histoire de la Terre, mais certainement pas à un repaire de bandits ou de conspirateurs glogs.

Samuel n'était pas encore revenu de son étonnement lorsque ses ravisseurs le firent entrer dans une salle qui n'était autre qu'une salle du trône. Les murs étaient tendus de tapisseries aux coloris criards. Des bannières effilochées pendaient des poutres du plafond. Et un Glog vêtu de pourpre occupait un trône au fond de la pièce.

Près de la porte, un Glog aux écailles bleu marine fit signe à Samuel et Leila de s'approcher.

— Le Très Profond Fashilo de la phratrie Kilavonka vous fait l'honneur de vous recevoir. À genoux!

Samuel n'hésita qu'une fraction de seconde. C'étaient des fous. Ou ils en jouaient le rôle à la perfection. Tenant fermement la fillette de Nea-Hellas par la main, il s'agenouilla et courba la tête.

Une nouvelle voix se fit entendre, s'exprimant avec les intonations étudiées des courtisans de l'Empereur:

— Vous savez, les jeunes, je suis très content d'accueillir de nouveau des humains dans mon royaume.

Samuel se risqua à relever les yeux. Le Glog aux écailles bleues était allé se poster à la gauche de son chef. Le jeune homme chercha ses mots, mais Leila le prit de vitesse:

— Merci beaucoup, monsieur. C'est très gentil de nous accueillir pour la nuit. Mais demain, on nous attend ailleurs, vous savez.

— Je regrette, ma petite, mais vous serez dans l'obligation de manquer votre rendez-vous. Il faut que je vous garde ici.

— Jusqu'à quand? intervint Samuel.

— Jusqu'à ce que nous ayons éclairci certains mystères. Votre présence à bord de la navette de Glenshkok est suspecte. Tout laisse croire qu'elle était censée s'écraser. Ou était-ce une ruse pour vous permettre d'arriver sur Glensha avec ce perroquet?

— Je n'avais jamais posé les yeux sur ce volatile de malheur avant d'entrer dans l'habitacle de pilotage, protesta Leila.

— Que vous dites! Nous allons examiner votre cas. En attendant, je compte profiter de votre séjour parmi nous pour en apprendre plus sur les humains.

— Hein? fit Samuel, interloqué.

— Mais oui, dit le Glog en fixant le jeune homme de ses yeux jaunes. Les humains m'intéressent et je suis heureux d'en côtoyer de nouveau. Avez-vous des questions?

Samuel se demandait ce qui était arrivé aux humains invités avant lui à séjourner dans la base du Très Profond Fashilo... Mais, réflexion faite, il ne désirait pas vraiment le savoir.

— Eh bien, dit-il, j'aimerais savoir pourquoi l'atterrissage de la navette n'a pas plus attiré l'attention.

— Grâce aux minicams de surveillance, les responsables de Glenshkok ont très vite déterminé qu'un perroquet s'était introduit à bord de la navette. Encore mieux, ils l'ont claironné sur les ondes. Dès que nous avons intercepté leurs avertissements à ce sujet, j'ai arrangé une explosion juste avant l'atterrissage de votre navette.

— Mais comment nous avez-vous retrouvés?

Le chef glog inclina la tête pour indiquer le conseiller debout à sa gauche.

— Mon assistant Venyako a intercepté ton appel. Une grave imprudence, mais nous t'en remercions. Grâce à cette communication, nous savons que tu as sauvé le perroquet. Ce dont nous te sommes reconnaissants.

— Ce volatile nous a coûté assez cher, opina Venyako. Vous savez combien on a dû payer pour le faire venir de Karnataka d'Altaïr? C'est une sous-espèce rare. Sur Karnataka, ils ont pris ce qui était déjà le plus intelligent des perroquets et ils ont amélioré encore plus ses capacités linguistiques! Le pauvre n'a pas aimé sa cage, mais vous aurez plus de mal que lui à sortir d'ici si vous ne nous dites pas...

Son chef lui intima le silence d'un geste.

— Il faudrait savoir si tu as fait exprès de sauver notre perroquet, dit le Très Profond Fashilo en dévisageant Samuel. Ce n'est pas la première fois que Ferrale se mêle des affaires de Glensha et, derrière Ferrale, j'ai parfois cru flairer la puanteur de la Gérance des Imprévus.

— Quoi?

Samuel arrondit les yeux. La Gérance des Imprévus était mêlée à cette affaire? Le légendaire service spécial du Nouvel Empire avait certes la réputation d'être toujours là où les choses étaient sur le point de sauter... La situation était-elle si explosive?

Et se pouvait-il que Ferrale Filion, exploratrice spatiale recyclée dans le négoce interstellaire, plus ou moins licite, fût associée à la Gérance?

Le chef glog ne l'avait pas quitté des yeux, guettant sa réaction. La confusion visible du Nou-Québécois ne l'ébranla pas.

— Allons, ne fais pas l'innocent... À moins que tu ne le sois, bien entendu. J'ai été surpris de te trouver en compagnie de cette petite... C'est ta sœur?

Le Glog montra Leila du doigt et Samuel s'empressa de la présenter, ainsi que luimême, soulignant leurs noms différents. Le Très Profond Fashilo scruta le visage du Nou-Québécois comme s'il espérait y lire la vérité.

— Il est vrai que je n'ai jamais entendu dire que Ferrale aurait une fille.

— Ferrale? Vous croyez donc que je serais le fils de Ferrale?

— Nous avons eu vent d'un fils qu'elle avait eu et qui aurait voyagé avec des Glogs de la phratrie Elloha.

— Ce n'est pas moi!

— Prouve-le.

Samuel se dit qu'ils avaient dû entendre parler d'Alain, le vrai fils de Ferrale, qui avait été recueilli par une famille glog pendant quelques années. La rumeur n'avait pas trop déformé la vérité; ils avaient presque le même âge, après tout, et ils étaient tous les deux de Nou-Québec.

— Comment voulez-vous que je prouve que je ne suis pas quelqu'un que je ne suis pas?

— Décidément, je crois que tu es bien le fils de Ferrale.

Là-dessus, le Très Profond Fashilo se leva de son trône. Tirant Samuel vers le mur du fond, il lui fit admirer les panoplies d'armes suspendues à la paroi.

— On dirait des armes de fabrication humaine.

— Elles le sont. Je les fais venir tout spécialement de la Terre.

— Pourquoi? Vous les collectionnez?

— Non, je les utilise.

— À quoi donc?

— À mieux comprendre les humains.

Encore cette idée... À quoi voulait-il en venir?

Samuel examina les épées avec la curiosité née d'un début de familiarité. À bord du *Katafigion*, Samuel avait appris à tirer l'épée. La constitution physique des morphes souffrait autant de l'apesanteur ou de l'inactivité que celle des humains ordinaires. Les propriétaires de morphes devaient donc s'occuper de la forme de leurs serviteurs et l'escrime était un sport bien adapté aux espaces restreints d'un astronef.

Le jeune homme avait eu le temps d'apprendre les rudiments. Le voyage avait pris près de deux mois, si on ne comptait pas le temps passé dans l'hyperespace durant les Sauts.

Le chef glog nota son intérêt.

— Est-ce que, par hasard, jeune Samuel Filion, tu serais un adepte de la plus noble des armes blanches?

— L'épée?

— Oui! s'écria Fashilo en trahissant un début d'excitation. Je le sentais. Tiens, défends-toi!

Le chef glog tendit au jeune homme une épée qui ne ressemblait guère aux fleurets d'entraînement à bord du *Katafigion*. Une arme et non un jouet, car la pointe était dépourvue du bouton qui l'aurait rendue inoffensive. Samuel passa un doigt sur le métal râpeux de la lame et fit un moulinet pour éprouver le poids de l'épée.

— En garde, Samuel Filion!

Le jeune homme eut tout juste le temps de parer le premier assaut du chef glog.

— Les pointes ne sont pas mouchetées, protesta-t-il.

— Ah, mais quand je tire l'épée, ce n'est pas pour m'amuser.

Le jeune homme recula, adoptant la position classique de l'escrimeur. Même si Fashilo était grand pour un Glog, il avait une bonne tête de moins que le Nou-Québécois.

— Les humains ont l'habitude de triompher des Glogs, chaque fois qu'ils nous font la guerre, reprit Fashilo. Mais si ta vie en dépendait, jeune humain, serais-tu capable de me vaincre en utilisant cette arme venue de la Terre?

Samuel n'eut pas le temps de répondre. Malgré sa petite taille, le chef glog s'avéra de loin supérieur au maniement de l'épée. Il se déplaçait avec une rapidité foudroyante, enchaînant pointes, feintes, parades et fentes si vite que Samuel dut battre en retraite.

En un rien de temps, il se retrouva acculé au mur. À peine essoufflé, le Très Profond Fashilo interrompit le combat pour l'interpeller.

— Je peux sentir ta peur, Samuel, mais tout n'est peut-être pas perdu. Dans un duel où les adversaires sont d'inégale force, le plus faible a le droit de faire appel à un allié. Si, bien sûr, il dispose d'un allié. As-tu un allié?

Dos à la paroi, Samuel jeta un regard à Leila, mais la fillette afficha une grimace de dédain pour ces jeux.

— Comprends-tu un peu mieux ce qu'on ressent quand on est battu, réduit à la capitulation, et que l'acier s'enfonce un peu plus chaque jour dans sa chair? Et qu'on n'a pas un ami sur qui compter?

Le chef glog joignit le geste à la parole, poussant la pointe de son arme dans la peau sous la mâchoire de Samuel.

— Heureusement, reprit Fashilo, les Glogs ont un allié potentiel qui pourrait tout changer.

Samuel écarquilla les yeux. Il craignait de comprendre.

— Les Moweus? articula-t-il enfin.

Le chef glog baissa son arme et se redressa.

— Exactement.

— C'est une nouvelle guerre que vous voulez? Mais nous en sortons!

— C'était avant ta naissance.

— La guerre a dévasté des dizaines de mondes.

— Propagande impériale! La plupart des combats se sont déroulés dans l'espace ou ont abîmé des planètes pratiquement inhabitées.

— N'empêche qu'une nouvelle guerre serait un désastre pour tout le monde! Pourquoi recommencer?

Le Très Profond Fashilo brandit l'épée venue de la Terre.

— Regarde-moi cette arme ridicule, Samuel Filion. Les Glogs peuvent s'enorgueillir de sept mille années de civilisation spatiale! Quand vos ancêtres se battaient avec de telles armes, les miens transformaient des astéroïdes en astronefs. Et pourtant, vous nous avez battus, conquis, envahis.

— C'est ça qui vous embête?

— Il y a de quoi! Vous nous avez vaincus, vous occupez nos mondes, vous exploitez nos industries, vous contrôlez nos déplacements.

— Enfin, pas moi personnellement.

— Toi ou un autre humain, cela ne change rien. Vous êtes interchangeables. Vous nous refusez tout espoir.

— Et cela justifie tout ce qu'une alliance avec les Moweus pourrait déchaîner?

— Aucune souffrance ne justifie la souffrance qu'on inflige à autrui, Samuel. La vengeance est une absurdité humaine. Ce qui justifie la violence, c'est le bien qui en résultera. S'il sort un monde meilleur pour les Glogs d'une nouvelle guerre interstellaire, l'avenir nous donnera raison. Dès que la victoire sera assurée, nous commencerons à construire ce monde meilleur. Un monde où les humains ne seront pas invités.

5

La nouvelle famille de Samuel

Un bruit de pas se fit entendre dans le corridor. Tandis que Samuel frottait son cou endolori, le Très Profond Fashilo se tourna vers l'entrée de la pièce.

— Chinskil?

Un Glog entra dans la salle.

— Tu as oublié de cogner à la porte, le rabroua Fashilo. C'est ce que font les humains pour se remémorer régulièrement la matérialité du monde.

Le Glog s'inclina, le visage impassible.

— Je vous prie de m'excuser, maître. Je m'en souviendrai désormais.

— C'est bien. As-tu des nouvelles du perroquet?

— Non. J'ai affecté mes collaborateurs les plus sûrs à la fouille des immeubles voisins, mais ils vont devoir faire attention. La navette a fini par être repérée. Le quartier grouille d'agents.

— Et les sifflechanteurs?

— Ils seront là demain matin.

— Quel dommage qu'on t'ait volé le perroquet avant cette rencontre, murmura Fashilo sur un ton pensif. Nous sommes décidément surveillés de très près...

Il jeta un regard soupçonneux dans la direction des deux jeunes humains, puis se ressaisit. Le chef glog ramassa l'épée de Samuel et retourna auprès du râtelier pour ranger les armes qui venaient de servir. Le dénommé Chinskil respecta le mutisme de son supérieur, qui se retourna enfin vers lui:

— Il me faut ce perroquet pour demain. As-tu un plan?

— Les perroquets ne sont pas des oiseaux nocturnes. Et les agents des services de Mashak non plus. Alors, je me proposais de réunir une équipe et de fouiller les environs vers la fin de la nuit. Avec l'équipement requis pour repérer toutes les sources de chaleur dans les parages.

— J'approuve. Te faut-il autre chose?

— Des combinaisons à l'épreuve des produits toxiques. Il y a un Jardin du Suicide derrière l'immeuble où on a retrouvé ces deux humains et Méthane pourrait s'y être réfugié.

— Si c'est le cas, j'espère que tu le retrouveras à temps... Pour l'équipement, entends-toi avec Venyako.

Fashilo lui montra alors les panoplies d'armes derrière lui.

— Après, tu auras quelques heures de libres. Alors, choisis deux rapières et retrouve-moi dans la salle d'armes. Je m'aperçois que je suis un peu rouillé. J'ai commis des erreurs inacceptables lors d'un assaut de routine.

— À vos ordres, maître.

Samuel avait écouté avec attention. Des questions traversaient son esprit comme des éclairs, projetant une lueur trop brève pour lui permettre de se retrouver autrement qu'à tâtons. Pourtant, il ne doutait pas que les réponses auraient dissipé les ténèbres une fois pour toutes. Jusqu'où s'étendait l'organisation du Très Profond Fashilo? De qui tenait-elle son équipement? Fashilo avait-il contacté les Moweus à titre personnel? Ou bien cherchait-il à négocier avec eux au nom des anciennes autorités de la Conglomération? Et quel était le rôle assigné au perroquet?

Le chef glog se retourna vers ses jeunes invités.

— Je ne vous oublie pas, mes chers humains. Je suis beaucoup trop content de vous accueillir.

Le ton était toujours aussi courtois, mais Leila se blottit contre Samuel comme si elle avait entendu autre chose.

— Que voulez-vous savoir? dit-elle, la voix plaintive. Nous ne connaissons pas de secrets militaires.

— Ce n'est pas ce que je cherche. Les Moweus sont assez puissants pour absorber l'essentiel des forces de l'Empire de Chang si je mets le feu aux poudres. Mais qu'est-ce que les Glogs gagneraient à obtenir l'indépendance dans ces conditions? Nous resterions faibles et les humains forts. Ce que je veux, c'est le secret de la puissance des humains. J'ai mes petites idées là-dessus, mais je crains qu'elles soient trop théoriques. Je me suis souvent dit que j'en retirerais de meilleures de la fréquentation d'humains.

Fashilo n'avait cessé de les observer en parlant, de l'œil d'un anatomiste qui n'attendait que le moment de planter son bistouri dans la peau d'un cadavre de premier choix. Il était obligé de lever la tête pour dévisager Samuel, ce qui semblait l'agacer.

— Bref, conclut-il, je vous considère comme des amis. Jusqu'à ce que je sois obligé de vous traiter comme des ennemis.

Il les prit par le bras. Comme tous les Glogs, il était beaucoup plus fort que sa petite taille l'indiquait. Il les entraîna sans peine, arrachant presque leurs pieds du sol.

— Venez faire un tour du propriétaire avec moi.

Comment faire autrement? Samuel et Leila le suivirent dans le dédale de couloirs de son repaire. Ils passèrent devant des portes munies d'écriteaux indiquant «Dortoir A», «Garage 2», «Atelier d'entretien», «Cuisine». Toujours en *código*.

— Ici, tous les Glogs parlent *código*, même entre eux, expliqua le Très Profond Fashilo. Nous vivons comme des humains, même lorsque nous ne saisissons pas le sens des gestes humains.

Ils pénétrèrent dans un grand local dépourvu de mobilier. Tous les murs étaient nus, à l'exception de celui du fond. Une tenture cachait la paroi. Elle était ornée d'un emblème stylisé, semblable à un cercle dont on aurait coupé un segment de la circonférence supérieure.

— Qu'est-ce que c'est? demanda Leila.

— Chut! ordonna le Très Profond Fashilo.

Le Glog s'agenouilla devant le symbole de la tenture. Il les tenait toujours par le bras et il les força à l'imiter.

— Dieu est bon! Dieu est bon! Dieu est bon! psalmodia le Glog.

Samuel ouvrit de grands yeux ébahis. Tout le monde savait que les Glogs n'étaient pas religieux. Ce n'était pas évident de se prononcer sur la santé d'esprit d'un représentant d'une autre espèce intelligente, mais il lui sembla que ses soupçons se confirmaient. Ils avaient affaire à des fous... À des gens dont le logiciel était à court de quelques lignes. Dire qu'il avait pris les faits et gestes d'une bande de déséquilibrés pour les précautions d'un groupe de conspirateurs!

Puis il se rappela le flotteur, l'appel intercepté et l'explosion arrangée en quelques minutes dans un quartier voisin. Sa certitude vacilla. Des fous auraient-ils de tels moyens?

Le Glog se releva et les emmena à l'extérieur. Samuel attendit un peu, puis posa une question qu'il voulait prudente:

— De quelle religion s'agit-il?

— Ce n'est pas une religion, répondit Fashilo, du moins pas encore. Cela fait partie de notre projet d'humanisation. J'essaie de développer chez mes fidèles un sentiment semblable à la foi religieuse des humains.

— Vous espérez inculquer un sentiment religieux aux Glogs? s'étonna Samuel. Mais tous les missionnaires de la Transhumanité s'y sont cassé les dents! Enfin... à part quelques AgnoSophistes et maîtres à penser bouddhistes, mais je ne sais pas si on peut parler de religions dans leurs cas.

— C'est vrai. Mais tous ces missionnaires tenaient pour acquis que le sentiment religieux est inné. Ici, au contraire, nous essayons de le développer à partir de zéro.

— Comment donc?

— Grâce à la force de l'habitude. La consigne est stricte. Quand on passe dans ce couloir, il faut obligatoirement entrer à chaque fois dans la chapelle. Dans la chapelle, il faut garder le silence et se prosterner devant l'emblème de la Transcendance.

— Mais pourquoi?

— Quand une habitude se crée, il devient difficile d'y déroger. On prend l'habitude de s'agenouiller en silence, de prononcer les paroles consacrées, et on répète ces gestes jusqu'au moment où il devient impossible de ne pas le faire sans se sentir mal à l'aise.

— Ce n'est pas un sentiment religieux, ça! protesta Leila.

— Nous croyons que si, répliqua Fashilo. Quand on a l'habitude du silence quelque part, troubler le silence paraît sacrilège. On a l'impression de déranger. Déranger qui ou quoi? Dès qu'on se pose cette question, l'esprit trouve une explication, car il est rompu à l'invention d'explications.

— Vous croyez vraiment que ça suffit à créer un sentiment religieux? demanda Samuel, incrédule.

— Une habitude laisse toujours des traces. Pensez-vous que vous pourriez retourner dans cette chapelle et jouer comme de jeunes *vakkkil*? Je crois que vous vous sentiriez gênés, comme si un regard invisible était posé sur vous. Votre esprit meublerait le silence d'une présence qui expliquerait votre gêne, alors que tout vient du simple dérangement de l'habitude.

— C'est vrai que je n'oserais pas parler trop fort... murmura Leila.

— C'est parce que nous ne sommes pas faits pour le silence, affirma Fashilo triomphalement. Nos cerveaux sont accoutumés à traiter des données en permanence. On peut rendre un sophonte complètement fou en l'enfermant pendant quelques jours dans un caisson d'isolation sensorielle, où il ne verra rien, n'entendra rien, ne sentira rien.

— Et cette litanie?

— Quand on parle, on parle d'ordinaire à quelqu'un. Les paroles que j'ai prononcées tendent à renforcer le sentiment d'une présence invisible. Et répéter «Dieu est bon!» crée une association d'idées; on apprend à rapprocher Dieu et la bonté. Or, attribuer des qualités à quelqu'un, c'est supposer qu'il ou elle existe...

— Pourquoi se donner autant de mal pour recréer un sentiment religieux? Les Glogs s'en sont très bien passés pendant des millénaires.

— Nous croyons que leurs convictions religieuses ont aidé les humains à nous battre, encore et encore. Ici, je veux apprendre aux miens à croire en l'invisible. Les Glogs ont perdu certaines batailles lorsqu'ils ont baissé pavillon parce qu'ils avaient calculé qu'il leur était logiquement impossible de gagner. Dans les mêmes circonstances, les humains continuent parfois à se battre. Parce qu'ils croient à des choses intangibles!

Le Glog s'immobilisa devant une porte. Il se pencha sur la poignée, appliquant ses doigts sur la surface légèrement élastique. Une autre serrure biochimique, se dit Samuel en comprenant qu'il leur serait décidément bien difficile de s'évader...

— Maintenant, je vous prie de me remettre vos micrords.

Samuel avait commencé à espérer que le chef glog n'y songerait pas.

— Je n'en ai pas, dit Leila.

Le chef glog recula d'un pas et sortit un appareil qu'il pointa sur la fillette. Samuel capta des échos à la limite de l'ultrasonique. Une image se forma sur le petit écran de l'instrument et Fashilo se déclara satisfait après avoir demandé à Leila de tourner sur elle-même. Il regarda alors Samuel.

Un peu à contrecœur, le Nou-Québécois remit son micrord au Glog.

— Vous comprenez, dit Fashilo presque en s'excusant, il faut que je le confisque: je n'ose pas sous-estimer l'ingéniosité d'un fils de Ferrale Filion.

Samuel serra les poings. En quelques heures, il était passé du rôle d'homomorphe à celui d'otage. À bord du *Katafigion*, il n'avait pas eu de parents, car il se faisait passer pour une créature d'origine artificielle. Mais depuis qu'il était devenu l'hôte de Fashilo, il ne manquait plus de parents. Au contraire, il en avait trop!

* * *

Des rations les attendaient sur l'unique table de leur cellule. L'emballage portait l'estampille des Forces spatiales impériales. Une fois la languette métallique retirée, la barquette se réchauffait automatiquement et la languette se transformait en fourchette si on en plongeait le bout dans le contenu fumant. Un alliage à mémoire de forme.

Samuel dévora sa part en quelques bouchées. Tandis que Leila finissait de se restaurer, il fit le tour de leur prison. Il avait craint le pire, mais ils avaient droit à deux couchettes de part et d'autre de la pièce, et même à un réduit distinct pour les sanitaires.

Le tout était sûrement truffé de micros et de minicams. Parfaitement indétectables. Mais ce qui ramena à zéro le moral du Nou-Québécois, ce fut l'absence de fenêtres.

Il fit les cent pas. Malgré l'heure locale tardive, il n'avait pas sommeil, car son corps restait fidèle à l'horaire du *Katafigion*, selon lequel il était à peine midi.

— Que fais-tu? l'interrogea Leila.

— Rien! cracha-t-il. Je vis un cauchemar où tout va de plus en plus mal. C'est là-haut que je voudrais être.

Il leva la tête, comme s'il pouvait percer de son regard les couches de béton, de terre et de détritus qui le séparaient du ciel. Et des étoiles.

— Eh bien, il faut sortir d'ici. Pour que tu retrouves ta Ferrale et que je retourne à bord du *Katafigion*. Mon absence a sûrement été constatée, désormais, et ils vont bientôt commencer à s'inquiéter.

— Le problème, c'est que je n'ai pas la moindre idée de la façon de faire pour s'évader d'ici. Surtout avec les chélonoïdes qui rôdent dans le dépotoir et ces colliers qui les attirent...

Leila lui adressa un regard interrogateur, en indiquant les murs d'une mimique qui suggérait qu'ils avaient des oreilles.

— Je sais, répondit Samuel en haussant les épaules.

Il retint un sourire désabusé. *Qu'ils se débrouillent pour comprendre ça!* Il voyait bien que même Leila se demandait ce qu'il cachait.

La triste vérité, c'était qu'il ne cachait rien. Il n'avait pas même l'ébauche du début d'un plan. Oh, il espérait désarmer un peu la vigilance des Glogs à l'écoute, mais c'était pour avoir l'impression de faire quelque chose...

— Ils sont forts, soupira-t-il. Et personne ne sait que nous sommes ici.

— Tu abandonnes?

Leila avait interrompu son propre repas, ses yeux bruns le considérant avec une chaleur apitoyée qui le surprit autant que la question.

— Qu'est-ce qui te fait croire ça?

Non sans un petit choc, Samuel se rendit compte qu'il était sincère. Malgré son découragement, il n'avait jamais songé à se résigner. En fait, savoir que personne sauf Ferrale ne s'inquiétait pour eux et qu'ils n'avaient aucune aide à espérer l'avait curieusement ragaillardi. Ils ne pouvaient compter que sur eux-mêmes, mais du moins ils étaient libres de se concentrer uniquement sur leur sort.

— Tu t'es à peine défendu, répondit Leila, poursuivant son idée.

— Que voulais-tu que je fasse? Que je tire un pistolaser de ma poche?

— Un homme de Nea-Hellas ne se serait pas laissé insulter sans rien faire, murmura-t-elle.

— Je suis un morphe de Nea-Hellas, l'oublies-tu?

— Je ne plaisante pas.

— Moi non plus. C'est toi qui m'as appris à réagir comme un morphe.

— Voyons, Vlax, ce n'est qu'un rôle. Je pensais que tu étais un aventurier. Ce Fashilo s'est moqué de toi. Un homme de Nea-Hellas en aurait tiré vengeance, je te le dis.

— Ce n'est pas mon genre.

— Alors, c'est quoi ton genre?

— Je ne sais pas encore.

Il alla s'appuyer à la porte, songeur, tournant le dos à la fillette. Avait-il eu tort de vouloir courir l'aventure? Ces derniers mois, il aurait pu les passer à l'université sur Nou-Québec, en train de faire ses devoirs bien sagement. Ou de bombarder de messages la rousse du troisième. Ou de trimer sur des expériences dans les labos de physique. Ou de danser comme un damné dans les décors holographiques des petits cafés de Laurentis...

Il n'aurait pas vécu avec la peur au ventre comme à bord du *Katafigion*, il aurait mangé autre chose que la bouillie servie aux morphes et il aurait fait autre chose que promener un chien plus libre que lui. Et il ne se retrouverait pas dans une prison six mètres sous terre.

Pourtant...

— Es-tu vraiment le fils de Ferrale?

La question de Leila le fit sursauter. Il se retourna et il ne put s'empêcher de répondre avec une pointe d'irritation.

— Bien sûr que non!

Il leva la tête, scrutant les murs de leur cellule. Il ne voyait toujours pas où les minicams et les micros étaient dissimulés, mais ils étaient sûrement là.

— Vous entendez? reprit-il en haussant le ton. Je ne suis pas le fils de Ferrale! Mes parents sont Angus Makenna et Sylvine Dugas. Je viens de Nou-Québec, c'est vrai, mais, devinez quoi?, on peut venir de la même planète et ne pas être de la même famille.

Le silence lui répondit.

— Ça va, dit Leila en soupirant, je n'insiste pas...

Sa mimique lui fit comprendre qu'elle se posait toujours des questions, mais qu'elle n'espérait plus une réponse franche tant qu'ils seraient espionnés.

— Et toi? l'interrogea Samuel. Tu ne m'as jamais parlé de tes parents...

— Ils sont morts il y a des années, mais au moins ils sont morts ensemble.

— Oh, pardon!

— Remarque, leur mort appartient à l'histoire. Ils étaient sur Didymos quand des terroristes l'ont saboté, provoquant la mort de centaines de milliers de personnes.

Samuel fronça les sourcils. La destruction de l'orbitat de Didymos n'était pas récente. Elle avait eu lieu près de soixante-dix, non, quatre-vingts ans auparavant!

Quel âge avait donc Leila?

6

La visite des sifflechanteurs

Samuel n'avait appris rien de plus ce soir-là. Comme si elle craignait d'en avoir trop dit, Leila s'était cantonnée dans le silence et s'était couchée sans attendre. Pelotonnée sous sa couverture, elle avait fermé les yeux, mais elle semblait avoir du mal à trouver le sommeil, la mine anxieuse et les mains crispées sur le collier des Glogs. Il ne l'avait pas relancée, contraint à la prudence par la menace des micros et minicams. Lorsqu'il s'était couché à son tour, les plaques-lumière du plafond s'étaient éteintes automatiquement.

Lui non plus n'avait pas réussi à s'assoupir, encore habitué à l'horaire du *Katafigion*, repassant dans sa tête les événements de la journée. L'atterrissage en catastrophe de la navette... La traversée du quartier désert de la ville glog... La sensation d'irréalité qui l'avait envahi quand les Glogs avaient sorti des pistolasers... Le poids du collier refermé autour de son cou...

Lorsqu'il s'endormit enfin, il eut l'impression de se faire réveiller presque aussitôt.

— Debout! ordonna le Glog qui était entré dans leur cellule.

— Debout! répéta le perroquet perché sur l'épaule de l'humanoïde.

— Méthane! s'exclama Leila, tout de suite réveillée.

Samuel se frotta les yeux, encore ensommeillé. Les Glogs avaient donc retrouvé le perroquet durant la nuit. Voyons, comment s'appelait...

— Le maître désire vous voir, ajouta le Glog. Tout de suite!

Samuel s'était couché tout habillé. Il se redressa et contint un frisson en posant ses pieds nus sur le plancher de ciment froid. Il s'empressa de se chausser et se passa une main dans les cheveux en regrettant de ne pas avoir un peigne. L'étoffe nanotissée de sa livrée était strictement infroissable, c'était toujours ça.

— Je suis prêt, déclara-t-il.

Leila s'était claquemurée dans la minuscule toilette. Lorsqu'elle en ressortit, elle avait changé la couleur de sa robe. Le noir moiré du tissu accentuait la pâleur de sa peau mate et soulignait sa silhouette frêle. Elle avait aussi réuni ses longs cheveux noirs dans un petit chignon. Avec ses grands yeux tristes, elle ne ressemblait plus à la fantasque héritière aristocratique que Samuel avait servie à bord du *Katafigion*.

— Allons-y, Chinskil, dit-elle.

Elle au moins avait retenu le nom du Glog. Samuel se demanda si celui-ci avait deviné que le Nou-Québécois ne l'avait pas reconnu. Et s'il s'en était froissé.

Le petit groupe emprunta une nouvelle série de corridors. Samuel ouvrait les yeux, à l'affût de tout ce qui pourrait les aider à s'échapper. Son regard se posa un moment sur le pistolaser de Chinskil, logé dans un étui accroché à la ceinture du Glog. La crosse se présentait quasiment à portée de main...

Chinskil s'aperçut de l'intérêt mal camouflé du Nou-Québécois. Il tapota son arme et dit:

— Inutile de la voler, Samuel Filion. Il faut générer un signal biochimique particulier pour l'activer. Les humains n'ont pas les glandes requises.

Ils pénétrèrent enfin dans un vaste hangar souterrain. Un garage, à en juger par l'immense porte articulée qui fermait l'autre extrémité de la salle. Des flotteurs et des glisseurs étaient rangés sur les côtés, ménageant un vaste espace dégagé au centre.

Le Très Profond Fashilo attendait près de l'entrée, en compagnie de quelques assistants, dont Venyako. Il fit signe à Chinskil de le rejoindre.

— C'est parfait, se réjouit le chef glog. Ce sera décidément une rencontre historique. Vous représenterez les humains, mais je vous prie de ne pas essayer d'intervenir. Sinon, je serai obligé de sévir.

— Compris, dit Samuel, bien décidé au contraire à guetter l'occasion d'agir.

Un imposant camion occupait le centre du garage. La délégation menée par le Très Profond Fashilo se disposa devant un côté du caisson posé sur la remorque du camion.

Une exclamation de stupeur jaillit de la gorge de Leila. Le flanc du caisson était devenu transparent. À l'intérieur, trois Moweus s'étaient tournés vers eux.

Les Glogs restèrent muets, mais leurs opercules respiratoires se refermèrent, produisant une rafale de cliquetis. Samuel retint son souffle en contemplant les visiteurs tant attendus.

Ils étaient de la taille d'un adulte humain, mais leur conformation faisait irrésistiblement songer à des pieuvres de la Terre. On ne voyait tout d'abord que les tentacules renflés qui soutenaient une masse centrale boursouflée. L'épaisse atmosphère à l'intérieur du caisson brouillait un peu les détails de leur anatomie, mais il était possible de distinguer deux yeux, une bouche aux lèvres saillantes et des fentes de respiration. Deux yeux grands et plats comme des assiettes, dont la teinte grise tranchait sur l'épiderme écarlate. Une bouche immense qui s'ouvrait sur les franges préhensiles du sac ventral. Et des fentes qui se dilataient les unes après les autres, de gauche à droite, puis de droite à gauche.

Une succession de sons surprenants résonna sous les voûtes du hangar. Des sifflements mêlés de trilles et de bourdonnements presque musicaux surgirent des haut-parleurs.

— C'est le langage des Moweus? demanda Leila à Samuel en chuchotant.

— Dans un sens. L'air qu'ils respirent est si dense qu'ils communiquent au moyen d'infrasons, comme les baleines, mais il est relativement simple de les rendre audibles.

Leila écouta un instant la suite de la proclamation des Moweus.

— Je crois que je comprends pourquoi on les appelle des sifflechanteurs.

Samuel approuva de la tête. Fashilo s'excita:

— C'est vrai, j'avais oublié... Vous percevez vraiment leur langue comme quelque chose de chanté?

— En tout cas, ça y ressemble.

— Prodigieux!

Le Glog s'immobilisa et ferma les yeux pour écouter une nouvelle série de paroles sifflechantées.

— Parfois, j'ai l'impression que nous nous comprenons à peine, ajouta le chef glog à mi-voix, sans préciser de qui il parlait.

Lorsque les Moweus se turent, la traduction débuta. La voix suave d'un logiciel surgit du micrord tenu par Venyako, posté auprès des haut-parleurs.

— Nous représentons la sous-caste des stratèges, au sein de la caste des militaires, articula la traductrice automatique. L'audace et l'intelligence sont les deux pôles de notre caste. Nous ne sommes pas ici pour négocier; comme vous pouvez le voir, nous n'avons pas apporté de cadeaux.

— Des cadeaux? s'étonna Leila.

— Une coutume des Moweus, murmura Chinskil. Ils considèrent qu'en acceptant ces cadeaux, leurs interlocuteurs s'engagent à négocier de bonne foi.

— Autrement dit, ils les paient.

— C'est une façon de voir les choses.

La traductrice automatique poursuivit:

— Nous avons pris le risque de venir vous écouter parce que la défaite vole sur les ailes de l'ignorance, tandis que la victoire est donnée à ceux qui savent goûter le vent. Nous ne sommes pas venus parce que nous partageons votre haine des humains. Vos mondes ne nous intéressent pas. Vos querelles ne nous intéressent pas. Mais si vous nous offrez ce que personne ne nous offre, nous vous offrirons ce que personne ne vous offre.

Le Très Profond Fashilo s'avança et répondit. Il n'économisa pas les compliments et conclut sur une question vitale:

— Vous dites que vous n'êtes pas ici pour négocier, mais que vous représentez une sous-caste dont l'importance m'est bien connue. J'aimerais savoir si vous êtes en mesure de vous engager au nom de cette caste, de nous assurer de sa décision. Bref, de nous faire une promesse ferme.

— Non, répondit un Moweu.

Méthane fit entendre un croassement. Chinskil tressaillit. Samuel et Leila se retournèrent. Le perroquet s'était raidi, ébouriffant ses plumes.

— Vilain oiseau! Vilain oiseau!

Le Très Profond Fashilo parut enchanté et reprit la parole:

— Nous n'avons pas bien saisi votre réponse. Voulez-vous dire que vous ne ferez pas de promesses ou que vous ne pouvez pas faire de promesses?

— Nous n'avons pas besoin de faire de promesses. Tous les membres d'une caste chassent dans la même direction. À nous trois, nous représentons tous les stratèges et nous vous dirons ce que tous vous diraient.

— Merci. J'avais presque compris le contraire.

Les palabres se poursuivirent, mais Samuel et Leila n'écoutaient plus. Ils avaient le regard fixé sur Méthane.

Le perroquet avait la tête penchée dans la direction de Venyako, comme pour mieux écouter les discours qui se succédaient, alternant le *código* et le sifflechant.

— Stupéfiant! souffla Leila. Il comprend la langue des Moweus. Je me demande s'il la parle aussi...

— Tu crois que c'est possible? demanda Samuel.

— Les perroquets ont un organe vocal très complexe, composé de membranes qui remplacent nos cordes vocales. Tu n'as pas vu comme la langue de Méthane est charnue, presque autant que la nôtre? C'est ce qui lui permet de produire une grande variété de sons et de bien articuler les syllabes.

Samuel la regarda, surpris par cette science soudaine.

— J'ai déjà eu un perroquet, dit Leila en faisant la grimace. Un très gentil cacatoès. Il est mort de vieillesse et je n'ai jamais voulu en avoir un autre.

— Tu ne m'avais pas dit ça.

— Je ne t'ai pas tout dit, Vlax, loin de là.

— Et ton cacatoès, est-ce qu'il comprenait ce que tu lui disais?

— Je me le suis toujours demandé. Mais l'intelligence de certains types de perroquets, comme le gris d'Afrique, est connue depuis longtemps parce qu'ils sont capables de nous parler.

— Je croyais qu'ils ne faisaient que répéter?

— Parfois, oui. Mais, parfois, ce qu'ils disent a un sens. Oh, les meilleurs n'ont pas un grand vocabulaire, et la plupart n'ont aucune notion de grammaire ou de syntaxe. Ils réussissent quand même à communiquer.

Samuel fit la moue.

— De là à comprendre la langue des sifflechanteurs...

— Pourquoi pas? Les oiseaux descendent de dinosaures primitifs, tout comme les mammifères. Il n'y a pas d'autre lien entre eux et nous. Des millions d'années d'évolution séparent un primate d'un perroquet. Pourtant, un perroquet est capable d'apprendre les rudiments de notre langage.

Samuel regarda Méthane à la dérobée. Le perroquet s'était calmé, récompensé par des graines que Chinskil le laissait picorer au creux de sa main.

— Et le sifflechant aussi, murmura-t-il.

— On dirait. (Leila haussa les épaules.) Les Moweus ne sont pas tellement plus éloignés des perroquets que les mammifères. En fin de compte, la biologie compte moins que l'intelligence que nous partageons.

— Leur intelligence est quand même limitée. Qu'est-ce qu'ils ont de plus qu'un logiciel de traduction?

Les Moweus s'étaient tus. Ou plutôt, ils avaient interrompu la retransmission de leurs paroles. Tournant le dos aux Glogs dans le hangar, ils se serraient ensemble, sans doute pour se consulter sur la réponse à donner.

Chinskil profita de la pause pour répondre à la question de Samuel:

— Notre traductrice automatique est une Mentalité de classe IV. Cela ne vous dit rien? Il faut au minimum une Mentalité de classe III pour fournir une traduction parfaite. Or les semi-intelligences artificielles de ce calibre sont prohibées. Méthane n'a pas le vocabulaire d'une Mentalité de classe IV, mais il est sensible au sens des paroles. S'il détecte une contradiction, il est entraîné à se manifester.

La loquacité soudaine du Glog étonna un peu Samuel, mais celui-ci en profita.

— C'est pourquoi vous avez eu besoin de lui?

— En fait, non. Nous l'avons fait venir d'Altaïr pour éprouver notre logiciel de traduction. Méthane comprend un peu le sifflechant, mais il en récite des phrases entières. Exactement ce qu'il fallait pour vérifier le bon fonctionnement du logiciel sans faire appel à des Moweus. Ceux-ci restent très surveillés par la Gérance des Imprévus et nous aurions risqué d'attirer bien inutilement l'attention des agents impériaux. La solution, c'était de faire venir le perroquet d'Altaïr le plus doué en sifflechant.

— Mais où l'a-t-il appris?

— Pourquoi croyez-vous qu'il s'appelle Méthane?

— Euh... nous avions pensé que le méthane brûlé dans le Jardin du Suicide...

— Pas du tout. Avez-vous oublié que les Moweus respirent du méthane? Notre perroquet appartenait à un grossiste de Karnataka d'Altaïr qui faisait beaucoup affaire avec les Moweus et qui lui avait enseigné le sifflechant en plus du *código*... Un instant!

Les Moweus s'étaient remis à parler. Chinskil ne tenait plus en place, faisant les cent pas à l'arrière de la délégation. Lorsqu'il se rendit compte que Samuel l'observait, il s'immobilisa brusquement. Sa réaction fit soupçonner au jeune homme qu'il avait vu juste. Chinskil ne s'était montré aussi bavard que pour déguiser sa nervosité. À bien y penser, c'était inquiétant. Les Glogs oseraient-ils relâcher des témoins qui en savaient autant sur leurs agissements?

La discussion se poursuivit. Petit à petit, Samuel se rembrunit, oubliant Chinskil. Les Moweus se laissaient tenter par les arguments de Fashilo. Ils finirent par accepter de défendre la cause de Fashilo auprès de la caste des militaires une fois réglés les derniers détails, mais ils réclamèrent quelques jours de réflexion pour bien examiner la chose.

Lorsqu'ils repartirent, le Très Profond Fashilo rejoignit d'un pas presque guilleret le petit groupe formé de Samuel, Leila et Chinskil avec Méthane.

— Vous avez vu, les jeunes? Nous sommes sur le point d'en arriver à une entente. Cela se fête! Que diriez-vous d'un petit concert?

Samuel fronça les sourcils.

— Mais je pensais que...

— Que les Glogs étaient insensibles à la musique humaine? Mais non, c'est beaucoup plus compliqué que ça.

Ils se retrouvèrent dans un petit amphithéâtre creusé dans le roc. De la nourriture était offerte sur des tables dressées près de l'entrée et Leila se précipita vers la sélection d'aliments pour humains.

Samuel eut envie de se pincer. N'eût été le collier qui le gênait quand il prenait une respiration trop profonde, il aurait pu se croire dans une réception officielle sur Nou-Québec. Il n'avait pas imaginé ainsi la vie de prisonnier!

Rien n'avait été fait pour leur rappeler leur condition de captif. Les portes n'étaient pas même gardées! Évidemment, il n'était pas question d'oublier l'existence probable de minicams aux aguets. Et il y avait les chélonoïdes qui montaient la garde dans le dépotoir à l'extérieur...

La cage était dorée mais restait une cage. Samuel s'approcha du buffet et se servit un verre de vin. Il regarda Leila donner à manger au perroquet descendu sur le poignet de Chinskil. La petite pigeait dans les plats de fruits et de crudités.

— Gentil oiseau! roucoulait Méthane entre chaque bouchée. Gentil oiseau!

Espérait-elle l'amadouer? Il avait pourtant l'air attaché pour de bon au Glog.

Un spectacle son et lumière succéda au buffet. L'éclairage baissa progressivement et l'entourage de Fashilo occupa les sièges de l'amphithéâtre. Le chef glog insista pour avoir Samuel et Leila à ses côtés.

Lorsque les musiciens entrèrent, Samuel connut un moment de confusion. Fashilo avait-il fait entrer d'autres humains dans son repaire? Ou bien s'agissait-il d'androïdes merveilleusement grimés? Mais non, ces hommes et ces femmes vêtus d'habits de soirée à l'antique n'avaient rien de mécanique...

Puis il comprit que c'était un enregistrement holovisé et il prêta à peine l'oreille aux pièces adaptées du répertoire de Sarakina, un célèbre compositeur du siècle passé.

— Ah, que j'aimerais entendre ce que vous entendez! dit à la fin le Glog en refermant ses évents avec un cliquetis étouffé. C'est peut-être la clé de votre sentiment religieux. Et pourtant...

Enhardi par le vin, Samuel répliqua:

— Mais qu'entendez-vous donc, Très Profond Fashilo?

— Une langue que je ne comprends pas, comme le sifflechant des Moweus. Des mots déformés qui racontent des histoires qui m'échappent. Pour nous, tout ce qui a un rythme ou une structure ressemble à un langage. Le vent qui souffle dans les carcasses du dépotoir... Le chant des oiseaux dans nos jardins... De même, votre musique sonne à nos oreilles comme des poèmes sans paroles, des constructions admirablement complexes... mais qui nous laissent aussi bêtes qu'une succession de mots incompréhensibles.

— Et que croyez-vous que les humains entendent?

— Les structures cachées de l'Univers. Non, sérieusement. Vos mathématiciens prétendent qu'une symphonie, c'est la logique du monde mise non en équations mais en musique. Une mer qui enfle, un arbre qui s'agrippe au ciel de tous ses rameaux, une coulée de lave qui se cristallise... Les structures de l'Univers sont partout, jusque dans les résonances de vos cordes vocales, mais les humains sont les seuls à en faire quelque chose de reconnaissable avec leur *musique* et à vibrer au rythme même des harmonies de l'Univers.

— Je ne suis pas sûr de comprendre, avoua Samuel.

— Et moi, dit le Glog à voix basse, je suis sûr de ne pas comprendre.

Ses opercules se refermèrent avec un cliquetis définitif, et néanmoins d'une grande tristesse.

— Alors, Très Profond Fashilo, dites-nous au moins l'occasion que nous fêtons.

— L'alliance que nous allons conclure avec les Moweus, prononça-t-il avec emphase. Le jour où nous le voudrons, le Nouvel Empire sera pris entre deux feux. S'il résiste aux Moweus, nous nous révolterons. S'il tente de nous attaquer, il sera pris à revers et nous mériterons notre liberté.

Samuel s'enfonça dans son siège, effondré. Le Glog en parlait comme d'une glorieuse émancipation, mais il faudrait la guerre pour en arriver là. Une guerre dont les humains seraient les premières victimes.

Il s'obligea à se ressaisir. Les folles ambitions de Fashilo étaient encore loin de porter fruit. Samuel sentit une énergie nouvelle couler dans ses veines. Pour la première fois de sa vie, comprit-il, il était à la bonne place au bon moment. Il ne tenait qu'à lui que la guerre fût évitée. S'il contrecarrait les plans de Fashilo, il ferait basculer le cours des choses.

Si seulement il avait su comment s'y prendre...

7

Duel dans un dépotoir

Le reste de la journée leur servit à explorer la base. De nombreuses portes étaient fermées et verrouillées au moyen des serrures biochimiques utilisées par les Glogs. Samuel aurait bien aimé savoir s'il existait d'autres sorties que la porte du garage souterrain et celle qui ouvrait sur l'extérieur de la raffinerie. Mais les serrures résistèrent à toutes ses tentatives d'effraction.

Ils aboutirent dans le réfectoire où une holovision était branchée sur une série d'émissions impériales.

— Je me demande ce que fait Fashilo, dit Samuel à la longue. J'avais eu l'impression qu'il chercherait à nous interroger.

— Peut-être qu'il consulte ses patrons.

— Tu crois?

Leila haussa les épaules. Samuel se dit que c'était bien possible. Le Très Profond

Fashilo s'était-il enfermé dans son bureau pour vidéophoner à ses supérieurs? Leur faisait-il part des résultats de sa rencontre avec les Moweus? Le Nou-Québécois rongea son frein, furieux de sentir les événements se succéder sans qu'il pût rien y changer.

Il s'attendait à revoir le chef glog au repas du soir, mais Fashilo ne se présenta pas au réfectoire. Après le souper, Chinskil se chargea de reconduire Samuel et Leila dans leur cellule, verrouillant la porte derrière eux.

Leila se coucha tout de suite, les mains cramponnées une fois de plus au collier des Glogs, comme si elle espérait l'ouvrir en dormant.

Samuel resta debout, torturé par son impuissance. Il explora de l'ongle les jointures du collier, en quête d'une faiblesse qu'il ne trouva pas. Fashilo préparait une nouvelle guerre, une guerre qui changerait tout. Même s'il parvenait à s'échapper et à rejoindre Ferrale, il n'était plus question de partir pour l'aventure sans un souci en tête!

Il finit par se déchausser et s'allonger, les mains croisées sous sa tête. Il n'avait pas envie de dormir, mais il se résigna à chercher l'oubli dans le sommeil. Ses idées seraient peut-être plus claires le matin venu.

Il s'était à peine immobilisé sous sa couverture, provoquant l'extinction des plaques-lumière, lorsque la voix de Leila s'éleva dans le noir.

— Tu sais, Vlax, il y a beaucoup de choses que je ne t'ai pas dites.

— Pardon? fit-il, pris de court.

— Je t'ai caché quelque chose...

La suite des événements ne fit qu'accentuer la confusion du Nou-Québécois. Tout d'abord, la cellule s'illumina et il entrevit un objet qui retombait vers lui, décrivant une courbe paresseuse dans les airs. L'instant d'après, il reçut un oreiller en pleine face, mais il avait également senti un objet dur rebondir sur son torse et se loger entre son dos et le mur.

— ... j'adore les batailles d'oreillers! s'écria Leila.

Samuel avait eu le temps de distinguer l'objet qui avait roulé derrière lui: un collier en morceaux de coquille de limaçon métallovore! Celui de Leila, sûrement. Comment avait-elle réussi à l'enlever?

Il ne comprenait pas, mais il jugea que le plus urgent était de ramener l'obscurité.

Sans bouger, il répondit d'une voix grondeuse:

— Moi, je suis trop grand pour ça, Leila. Essaie de dormir.

— Rabat-joie! Ah, tu es trop bête! Je ne te parle plus.

Elle s'enfouit sous sa couverture. Samuel changea de position, plutôt maladroitement, ne s'immobilisant que lorsqu'il parvint à coincer les segments articulés du collier sous ses reins.

Les plaques-lumière étaient restées allumées. Il en profita pour rendre à Leila son oreiller par la voie des airs. La fillette sortit la tête de sa cachette, lui tira la langue, puis s'installa pour la nuit, la couverture tirée jusqu'au cou.

De toute évidence, elle espérait avoir trompé les Glogs qui les surveillaient. Le changement brusque de l'éclairage et l'oreiller lancé en même temps n'avaient eu d'autre but que de les empêcher de voir le collier.

Samuel ferma les yeux et s'efforça de se détendre. Si les Glogs avaient remarqué quelque chose, ils ne tarderaient pas à faire irruption. Au bout d'un moment, l'éclairage consentit à baisser, presque à contrecœur.

— Comme ça, tu m'as caché beaucoup de choses? lança-t-il, une fois la cellule replongée dans le noir.

— Oh, bien des choses... répondit-elle avec un sourire dans la voix.

118

Les Glogs aux écoutes étaient-ils sensibles à l'intonation humaine? Samuel répliqua sur le même ton:

— Tu es trop jeune pour avoir tant de secrets.

— Je suis née il y a beaucoup plus longtemps que tu ne te l'imagines.

Samuel ne broncha pas. Il soupçonnait depuis un moment qu'elle n'était pas comme les autres enfants du *Katafigion*. Parfois, Leila s'exprimait comme une petite fille. Parfois, elle parlait comme quelqu'un de beaucoup plus vieux.

Était-elle quelqu'un comme Alain, le vrai fils de Ferrale, que Samuel avait rencontré sur Serendib? Alain était né des décennies après sa conception. Son embryon avait été conservé au froid dans une clinique jusqu'au retour de Ferrale d'une expédition dans une nébuleuse lointaine. Il avait grandi sans parents proches, entouré d'adultes, et l'expérience en avait fait un garçon étrangement mûr pour son âge. Si les parents de Leila étaient bien morts à Didymos, des années avant sa naissance, quelle drôle d'enfance elle avait dû vivre! Orpheline avant de naître...

Pourtant, il y avait autre chose. Samuel n'arrivait pas à mettre le doigt dessus, mais elle lui rappelait quelqu'un.

— Tu me diras tout, n'est-ce pas?

— Demain matin. Promis juré!

— À l'aube, précisa Samuel, cette fois en pesant sur ses mots. C'est le meilleur moment.

— Pourquoi?

Il sentit l'étonnement percer dans la voix de la fillette.

— *C'est l'heure où s'envolent les oiseaux.* Tu vois ce que je veux dire?

Le collier était sûrement un signal de la part de la petite. Elle avait voulu lui faire comprendre qu'elle était désormais libre de s'enfuir. Il ignorait comment elle avait pu déjouer le mécanisme de fermeture du collier, mais il restait la porte de la cellule...

— Bien sûr, dit-elle. Je ne suis pas bornée.

— *Et rien ne te résiste,* n'est-ce pas?

— Rien, confirma-t-elle.

Il espéra qu'ils s'étaient bien compris.

— Je te réveillerai, ajouta-t-elle.

Samuel se rendit compte qu'il avait oublié ce détail. Sans son micrord, il n'avait plus rien pour savoir l'heure ou le réveiller au bon moment. Mais Leila non plus n'avait pas de micrord. Alors, comment...

Il soupira et laissa le sommeil s'emparer de lui. Demain, il saurait tout... Pour ce que

cela lui apporterait s'ils ne réussissaient pas
à fausser compagnie au Très Profond Fashilo
et à sa bande.

* * *

— Samuel?

La voix de Leila, articulant son vrai nom
avec une douceur inaccoutumée, le tira de
cauchemars où il galopait sur les nuages
d'une planète géante, poursuivi par des
Moweus qui virevoltaient sur leurs tentacules...

— Oui?

— Tu es prêt?

— Ah! Oui, oui, allons-y.

La cellule s'illumina. Leila se dégagea de
la couverture d'un coup de pied et s'élança
auprès de la porte. Elle parut tâter le pouls
de son poignet gauche, puis appliqua le bout
des doigts sur la serrure. La porte béa.

— Je viens avec toi, déclara Samuel en
remettant les questions à plus tard.

— Pourquoi tiens-tu tellement à t'évader
maintenant? demanda la fillette. Si on restait
une journée de plus, je trouverais peut-être le
moyen de défaire ton collier.

— Nous avons assisté aux négociations de
Fashilo. Il nous aurait peut-être laissés vivre

si elles avaient échoué. Maintenant, je crains qu'il décide de nous éliminer.

— Tu crois?

— Tu les as entendus comme moi. Ils sont sur le point d'en arriver à une entente. Les Moweus ont l'air intéressés. Une alliance entre une caste moweu, si humble soit-elle, et une faction glog, si marginale soit-elle, pourrait faire boule de neige. Et l'avalanche ensevelirait toute la Transhumanité.

Leila le regarda fixement. Depuis la fondation de l'Empire de Chang, il n'était plus souvent question de la solidarité des humains, comme si ce sentiment pouvait être plus fort que les séparations politiques. La guerre de conquête de Chang avait mis fin au rapprochement qui avait uni tous les humains contre les Moweus.

Mais Samuel n'avait pas hésité. Une alliance entre les Glogs et les Moweus prendrait les mondes humains en tenaille. Les guerres d'autrefois seraient relancées, d'autant plus sanglantes et sans pitié que chacun combattrait pour la survie des siens...

— C'est pourquoi il faut qu'on emporte le perroquet, ajouta Samuel, l'air résolu.

— Mais nous ne savons même pas où ils le gardent!

— Cherchons quand même.

— Et les chélonoïdes? demanda-t-elle. Ils vont sentir ton collier et se précipiter sur toi.

— Les chélonoïdes doivent bien dormir un peu, soit le jour, soit la nuit. Alors, au point du jour, ou ils sont sur le point de s'endormir, ou ils viennent tout juste de s'éveiller.

— De s'éveiller avec une faim dévorante, tu veux dire?

— Aucun plan n'est parfait. Mais ce sont aussi les complices du Très Profond Fashilo Kilavonka qui se réveillent en ce moment ou qui sont sur le point de se coucher.

Samuel tressaillit en prononçant ces mots. Ils s'étaient immobilisés pour discuter à la porte même de leur cellule. Folle imprudence! Si leur sortie de cellule avait été observée, des gardes étaient sûrement déjà en route.

— Allons, dit-il en entraînant Leila par la main.

La base était silencieuse et les corridors étaient déserts. Cela ne fit que redoubler la nervosité du Nou-Québécois, même s'il commençait à se demander si la base était bien truffée de dispositifs de surveillance.

Samuel avait pris la direction du réfectoire, en se disant qu'il aurait été logique de dresser le perchoir nocturne du perroquet à proximité. Un bruit de pas les surprit alors qu'il leur restait un dernier couloir à descendre. Un Glog arrivait par un couloir latéral. Samuel s'immobilisa et songea à rebrousser chemin, mais ils n'avaient pas le temps d'atteindre le prochain carrefour sans se faire voir ou sans faire du bruit en courant...

Leila se déroba à la poigne du jeune homme et s'agenouilla devant la porte la plus proche. La serrure lui céda presque aussitôt.

— Ici, murmura-t-elle.

Samuel ne se fit pas prier. Les pas se rapprochaient. Sur les talons de Leila, il pénétra dans une pièce qui n'était autre que la salle du trône. Ils s'adossèrent au mur le plus proche et tendirent l'oreille.

Lorsque la porte s'ouvrit, ils échangèrent un regard désespéré. Ils étaient pris! Mais un bruit de voix se fit entendre. Quelqu'un venait d'interpeller l'individu qui avait été sur le point d'entrer. Une conversation indistincte s'engagea.

D'un geste, Samuel désigna à Leila les tapisseries qui tendaient le mur du fond. Ils traversèrent la salle en étouffant leurs pas, prêtant l'oreille à la conversation qui se poursuivait sur le seuil. Comme Samuel l'avait pressenti, il leur suffit de soulever deux tentures pour trouver l'embrasure d'une porte.

Ils s'étaient à peine tapis dans le renfoncement que deux Glogs entrèrent dans la salle. Cette fois, Samuel reconnut leurs voix. Il s'agissait de Chinskil et du Très Profond Fashilo.

— Nous avons aussi repéré Ferrale Filion, maître. Elle n'a pas quitté le quartier où nous avons retrouvé le perroquet.

— Je ne sais pas s'il faut s'inquiéter, Chinskil. Elle a dû identifier l'origine de l'appel du jeune humain. Elle cherche son fils, c'est tout, mais elle ne se rendra jamais jusqu'ici.

— Moi, je dis que ce n'est pas normal, maître. Si ce grand échalas est vraiment son fils, pourquoi n'a-t-elle pas prévenu la police? Que cache-t-elle? On dit qu'elle travaille pour la Gérance, vous le savez bien.

— Oui, mais il n'y a aucune preuve.

— Sa persistance n'est-elle pas une preuve suffisante? Elle quadrille le quartier depuis deux jours ou presque, elle interroge les itinérants, elle couche dans les appartements vides et se nourrit dans les boîtes de nuit. Elle a posé son flotteur dans le Jardin du Suicide, ce qui est rudement malin de sa part; elle doit se douter que personne n'ira le lui piquer à cet endroit.

— Elle ne doit pas avoir peur non plus des radiations. C'est vrai que cet entêtement a quelque chose d'extraordinaire. Que proposes-tu?

— Elle surveille tout particulièrement les abords du Jardin. Ce n'est pas pour rien qu'elle y a basé son flotteur. Ce sera facile de lui tendre un piège à cet endroit.

— Un piège?

— La meilleure façon d'avoir des réponses à nos questions, c'est de la capturer et de la questionner. Mekkkil et Doshinglen sont mes meilleurs agents. Ils se cacheront dans la morgue du Jardin et je m'arrangerai pour y attirer Ferrale.

— Comment?

— Je ferai circuler dans le quartier la rumeur qu'on aurait vu un jeune humain pénétrer dans la morgue du Jardin. Nous l'y attendrons de pied ferme, maître. Elle ne nous échappera pas.

— Je n'aime pas mêler les gens de l'extérieur, mais je veux en avoir le cœur net. Amène-la-moi.

— À vos ordres, maître.

Chinskil sortit là-dessus, mais le chef glog demeura dans la salle, marmonnant quelques mots indistincts de sa voix grave. Il traîna le pas jusqu'au mur et Samuel l'entendit ferrailler dans une panoplie d'armes. Il dut en retirer une rapière, car le jeune homme entendit ensuite l'air siffler.

Puis la porte se referma une seconde fois.

Leila poussa un soupir de soulagement. Samuel chancela. Son cœur trépidait dans sa poitrine comme un réacteur sur le point d'exploser. Il tira une inspiration rauque dans ses poumons et dit:

— Si personne n'a encore constaté notre absence, c'est le moment de filer.

— Et le perroquet?

— Tant pis. Il faut sauver Ferrale.

Il écarta la tenture, alla à la panoplie et saisit l'épée laissée par Fashilo.

— Tu tiens vraiment à t'encombrer de ça? Je suis sûr que ça n'égratignerait même pas la carapace d'un chélonoïde.

— Peut-être pas, mais c'est du bon acier et c'est la seule arme à notre disposition. Je crois que je pourrais tout de même crever les yeux d'une de ces sales bêtes avec ça.

— À condition qu'elles te laissent t'approcher.

Il fit la sourde oreille. Ils empruntèrent les corridors qu'ils avaient pris lors de leur arrivée, retrouvant sans peine la sortie qui donnait sur le dépotoir.

Elle était gardée.

Le Glog se montra aussi surpris qu'eux. Il avait été posté à cet endroit pour surveiller les approches extérieures. Il se retourna avec un moment de retard, à l'instant même où Samuel sautait sur lui.

Dépourvu de toute science du combat, le Nou-Québécois se rua sur le garde glog comme s'il espérait l'enfoncer dans le mur. Il aurait essayé d'étrangler un adversaire humain, mais c'était plus difficile de bloquer les évents glogs avec la même efficacité.

Il ne donna pas l'occasion à l'humanoïde d'utiliser son arme ou sa force supérieure, le soulevant par le col de son costume et le cognant à plusieurs reprises contre la paroi, de toute sa force. L'air expulsé de ses poumons, le Glog fit entendre une série de cliquetis frénétiques, puis il tourna de l'œil. Son pistolaser tomba de sa main, rebondissant sur le plancher.

Non sans hésiter, Samuel laissa le corps inerte glisser à terre. Il considéra avec fascination sa victime et n'émergea de sa transe qu'en captant le faible son des évents respiratoires s'ouvrant et se refermant. La preuve qu'il ne l'avait pas tué! Samuel respira.

Entre-temps, Leila avait ramassé le pistolaser et elle fit jouer la détente. L'arme resta inerte.

— Elle doit être réglée sur les émanations corporelles du Glog, comme les autres, dit Samuel. Tout ce qu'on peut en faire, c'est la jeter dehors.

— Je l'emporte, déclara farouchement Leila.

Elle se pencha sur le corps du garde, prenant les mains du Glog dans les siennes.

— Que fais-tu? Dépêche-toi donc!

La fillette se releva et suivit Samuel à l'extérieur. Une fois dehors, le Nou-Québécois sentit plus que jamais le poids oppressant du collier sur ses clavicules.

— Par où la sortie, maintenant?

De toutes parts, même en se juchant sur la pointe des pieds, Samuel n'apercevait que des mécaniques jetées au rebut. Impossible de déterminer dans quelle direction se trouvait l'issue la plus proche.

— Prenons le train, proposa Leila.

— Quoi?

Elle montra du doigt les wagons d'un ancien magtrain, dont les toits plats offraient un chemin tout trouvé vers la sortie.

C'était plus facile à dire qu'à faire, mais Samuel aida Leila à escalader le flanc d'un wagon et il l'y rejoignit quelques instants plus tard, après avoir crevé la plastovitre avec le pommeau de sa rapière afin de placer son pied dans le trou.

— Pas si vite, Samuel Filion!

Ils se retournèrent. Le Très Profond Fashilo venait de surgir de la porte même qu'ils avaient empruntée.

Samuel tira son épée. Fashilo était seul, à première vue. Avait-il donné l'alarme?

— Pars, Leila, cria Samuel en se retournant à moitié. Fuis! Va chercher de l'aide.

Faisant preuve d'une agilité incroyable, le Glog escalada le wagon de magtrain en deux bonds, tenant sa rapière de telle façon que Samuel n'osa même pas s'approcher.

— En garde! lança le chef glog.

Samuel avait l'avantage de la taille, ses grands bras lui donnant une allonge extraordinaire face au petit Glog. Mais le Très Profond Fashilo avait la rapidité et l'agilité d'un feu follet.

Le maître d'armes du *Katafigion* avait donné quelques conseils à ses élèves qui désiraient se battre pour de vrai. Samuel avait écouté subrepticement. Un morphe n'était pas censé s'intéresser à ce genre de choses, mais il avait retenu quelques principes. Ainsi, une attaque, quand on faisait face à une pointe nue, devait être jetée plutôt que portée. Vive, mais jamais appuyée.

Samuel se rendit vite compte qu'il ne serait pas en mesure d'appliquer les conseils du maître d'armes. Le Glog bondissait, multipliait les feintes, hurlait à contretemps pour désarçonner son adversaire... Plusieurs fois, il se glissa sous la garde du jeune humain et Samuel ne dut son salut qu'à des replis stratégiques prestement menés.

En un rien de temps, Samuel recula de toute la longueur du wagon. Il se fendit avec l'énergie du désespoir à deux reprises et il constata que son allonge phénoménale faisait hésiter le Glog. Il se fendit à moitié, puis sauta jusqu'au wagon suivant en profitant de la dérobade de Fashilo.

Le Glog recula pour prendre son élan avant de sauter. Samuel en profita pour éponger la sueur qui mouillait son front. En inspirant à fond, il sentit le collier comprimer les muscles de son cou. Pollution! il l'avait presque oublié, celui-là! Il refusa de songer à l'odeur que le collier métallique avait sans doute commencé à dégager.

— Reprise! annonça Fashilo.

Samuel releva son épée juste à temps pour accuillir son adversaire qui venait d'atterrir en face de lui. Le combat reprit. Un peu plus confiant, le Nou-Québécois essaya de tenir le Glog à distance. Fashilo dépensait tellement d'énergie qu'il se fatiguerait sûrement le premier.

Leila avait-elle eu le temps de s'enfuir? Samuel ne l'avait pas vue quand il s'était arrêté pour souffler. Il n'espérait pas vraiment la voir revenir avec de l'aide. Si cette partie de la ville était aussi déserte que celle où ils avaient atterri...

Conclusion? Il allait devoir venir à bout tout seul du Très Profond Fashilo.

Cependant, le Glog avait troqué son ardeur première pour un jeu d'épée plus réfléchi, mais non moins efficace. Samuel perdait de nouveau du terrain et il serait bientôt acculé à l'extrémité du wagon. Et, cette fois, Fashilo l'attendrait de pied ferme s'il tentait de l'intimider pour se donner le temps de sauter.

Attaque, parade, riposte... Samuel répondait aux attaques de Fashilo en parant à moitié et en rompant à moitié pour se garantir d'un redoublement. Il ripostait de moins en moins souvent, convaincu de l'inutilité de ce qu'il avait appris. Entre deux froissements métalliques, le Nou-Québécois crut entendre un sinistre fracas dans le dépotoir derrière lui. L'écho du renversement d'une carcasse quelconque confirma ses craintes.

Un chélonoïde venait de se réveiller.

Fashilo profita de sa distraction pour se glisser sous sa garde. Cette fois, Samuel ne recula pas assez vite. La pointe de la rapière creva sa chemise au niveau du nombril et signa son incursion d'une estafilade brûlante.

— Voici un gourmand qui se pointe, jeta le Glog.

Samuel entendait comme lui la bête se rapprocher, bousculant quelques épaves de plus pour se frayer un chemin, affolée par l'odeur appétissante qu'elle captait.

Samuel s'immobilisa. Il était arrivé au bout du wagon. Derrière lui, le chélonoïde dont les pas faisaient trembler le sol. Devant lui, Fashilo, bien déterminé à en finir. La sueur dégoulinait de son front, mais Samuel s'obligea à ne pas l'essuyer, serrant sa garde. Il n'avait plus le choix, il allait devoir tenter de surprendre son adversaire et lui servir une riposte qu'il n'attendait pas.

— On ne bouge plus, Très Profond!

Leila avait surgi entre deux carcasses de flotteurs au pied du wagon, pointant le pistolaser sur Fashilo. Le Glog tressaillit et n'acheva pas son geste. Samuel réagit instinctivement, sautant du wagon.

— Bien joué, petite! s'écria le Glog. J'ai failli oublier que tu ne peux pas t'en servir.

Et il sauta à son tour du wagon.

Samuel chercha des yeux un espace dégagé qui lui permettrait de reprendre le combat sans être tout de suite acculé par l'inexorable adresse de son ennemi. Il ne vit que des culs-de-sac bloqués par des carcasses tordues et renversées.

Mais le Très Profond Fashilo n'eut pas le temps de l'attaquer. La tête du chélonoïde frustré apparut par-dessus le wagon le plus proche. La bête appuya ses pattes avant sur le toit et le matériau corrodé s'affaissa sous le poids de l'animal. L'instant d'après, elle foulait l'obstacle écrasé et balançait sa tête de gauche à droite, ses yeux globuleux cherchant les coquilles fraîches qui ne pouvaient être loin...

Le Glog se hâta de s'écarter. Mais Samuel en avait assez de fuir. Une idée lui vint et il cria.

— Vite, Leila, suis-moi!

Le Nou-Québécois escalada l'amoncellement de ferraille le plus proche. La fillette l'imita tant bien que mal.

Samuel se terra derrière la portière d'un glisseur lorsque le chélonoïde s'approcha. L'animal donna de la tête un petit coup aux restes du véhicule, puis commença à s'éloigner.

— Maintenant! murmura Samuel.

Le dos de la bête, protégé par une carapace grande comme une maison, s'arrondissait devant eux. Le blindage naturel de l'animal n'était pas aussi lisse qu'il en avait l'air. Les jointures des plaques métalliques formaient des bourrelets aussi larges que des marchepieds.

Le jeune homme s'élança, s'accrocha d'une main au rebord d'une plaque et se tourna pour tendre la main à Leila. La fillette hésita, bondit enfin. Samuel l'attrapa à bras-le-corps, puis se laissa tomber sur son séant.

La marche du chélonoïde s'interrompit. La tête de l'animal se tourna vers eux, mais Samuel et Leila se tenaient sur un point de la carapace hors de portée de la bouche béante.

Décidant sans doute que les coquilles fraîches se trouvaient plus à droite, le chélonoïde obliqua dans cette direction.

Le Glog les aperçut alors et il hurla:

— Oh non, pas de ça, les amis!

S'élançant aussitôt, il rattrapa le chélonoïde en quelques foulées et il se hissa à son tour sur la carapace de l'animal géant. Il ne dégageait pas l'odeur alléchante des limaçons et le chélonoïde poursuivit son chemin, de plus en plus frustré par son incapacité à trouver la source du fumet exquis qui lui parvenait.

Du coup, une curieuse danse à trois s'engagea sur la carapace bombée de l'animal. Fashilo montait à l'assaut, escaladant en biais la pente écailleuse. Samuel essayait de s'interposer entre lui et Leila, tandis que la fillette lui criait de s'enlever de là et de la laisser tirer.

L'étrange progression en spirale culmina au sommet de la carapace. Les deux adversaires tournèrent en rond, ferraillant prudemment tout en essayant de ne pas perdre l'équilibre. Les mouvements du chélonoïde empêchaient aussi Leila, cramponnée au flanc de la carapace, d'ajuster Fashilo avec le pistolaser.

— Rends-toi... Samuel... Filion! lança le chef glog, qui trahissait un début d'essoufflement. Rends-toi et... je vous... laisserai... la vie sauve.

— Jamais!

Le Nou-Québécois se fendit à moitié, allongeant son arme vers les jambes de son adversaire. Fashilo crut voir Samuel se précipiter à sa rencontre et tendit son arme à bout de bras.

Mais l'attaque de Samuel n'était qu'une feinte et il releva son arme, écartant la lame de Fashilo avec la sienne tout en ramenant le pied à sa position de départ. Il avait mis une partie de sa force dans le geste, liant un instant l'épée de Fashilo. Puis, le poignet tourné, il voulut porter le coup de grâce par l'ouverture ainsi créée.

Au dernier moment, son pied trébucha sur une aspérité de la carapace. Il s'étira de manière fort peu orthodoxe pour porter le coup, et il sut tout de suite qu'il s'était déchiré un muscle.

Mais le coup avait porté.

Si le Glog avait été approximativement de la même taille que Samuel, la pointe de la rapière aurait peut-être glissé sur la cage thoracique en n'infligeant qu'une éraflure sans vraie gravité. Mais le Très Profond Fashilo n'était guère plus grand que Leila: le coup droit de Samuel s'enfonça dans les chairs molles du cou.

— Touche reçue... dit le chef glog dans un souffle.

Fashilo baissa sa garde, portant sa main gauche à la blessure dont le sang jaillissait. Il tituba et releva son épée d'un geste vacillant. Les yeux plantés dans ceux de Samuel, le visage illuminé par le soleil levant, il dit d'une voix qui se muait déjà en soupir:

— Salut... Samuel Filion... je te salue.

Sans savoir ce qu'il faisait, le Nou-Québécois salua de son arme le Glog tombé à genoux. Tout ce sang sur la carapace du chélonoïde... Samuel laissa tomber son épée, qui roula sur les écailles du chélonoïde et dégringola jusqu'au sol.

Qu'avait-il fait? Leila criait quelque chose, à deux pas, mais il ne l'écoutait pas. Il regardait, les yeux ronds, la forme effondrée du Très Profond Fashilo.

— Ne reste pas là, Samuel! Nous devons nous enfuir tout de suite.

Il finit par décider qu'elle avait raison. Il s'accroupit, se laissa glisser jusqu'au bord de la carapace et sauta par terre. Chacun de ces gestes pourtant banals lui semblait extraordinaire, comme s'il était impossible que le monde n'eût pas changé maintenant qu'il avait tué un autre être pensant.

Une saute de vent apporta son odeur aux organes olfactifs du chélonoïde. Un grincement de mauvais augure incita le jeune homme à presser le pas, tout en jetant un regard derrière lui. Heureusement, le chélonoïde n'avait pas la place pour se retourner et la bête dut amorcer un grand mouvement tournant.

— Par ici! lui cria Leila, qui avait pris de l'avance.

Elle avait découvert une brèche dans les murailles de carcasses et elle lui faisait de grands signes du bras. Malgré la menace, Samuel pensait encore au duel. Sa vie n'avait tenu qu'à un fil, le chef glog lui étant de loin supérieur à l'épée. Comment avait-il osé?

Leila s'élança à sa rencontre.

— Samuel, est-ce que ça va? Es-tu blessé?

Il l'entendit à peine.

— Quand je pense que... marmonna-t-il, atterré. J'étais fou, j'étais inconscient!

En sortant, ils passèrent devant un empilement de carapaces de chélonoïdes, qui attendaient d'être portées à la raffinerie. Aucun signe des bêtes auxquelles elles avaient appartenu. Malgré tout, Samuel éprouva un pincement de pitié pour ces grands animaux trop lents pour ne pas être vulnérables.

— Halte! ordonna Leila.

Comme ils auraient dû le prévoir, la sortie était fermée par une grande porte aux vantaux verrouillés. Samuel n'eut pas le temps de s'inquiéter. L'aristocrate de Nea-Hellas brandit le pistolaser qu'elle avait dérobé, celui qu'elle n'avait pas réussi à faire fonctionner, et elle tira.

Traçant un sillage d'étincellements, le rayon s'acharna pendant quelques secondes sur la serrure, puis sur les pênes. Le métal rougeoya, se liquéfia, sembla se racornir comme une peau de chagrin. Lorsqu'il ne resta plus qu'une flaque de métal fondu au pied de la fente et des soleils violacés dansant devant les yeux de Samuel, la fillette l'invita à pousser la porte.

8

Rendez-vous à la morgue

Une fois tournés trois coins de rue dans l'espoir de déjouer les poursuites immédiates, Samuel et Leila s'accordèrent un moment pour souffler.

Le Nou-Québécois massa sa cuisse. Le muscle qu'il avait déchiré l'élançait de plus en plus vivement. Il boitillait déjà et ça n'allait pas s'améliorer...

Mais il n'y tint plus. Le collier déverrouillé... les serrures domptées... le pistolaser maîtrisé... Cela faisait trop de mystères. Samuel se tourna vers Leila et lui posa la question qu'il retenait depuis la veille au soir.

— Comment as-tu fait?

La fillette baissa les yeux.

— Sur Nea-Hellas, ce n'étaient pas seulement nos créations comme les morphes qui étaient modifiées. Nous nous sommes modifiés nous-mêmes. De nombreux animaux sont capables de communiquer avec des odeurs, mais l'odorat humain est un organe dégénéré, à peine sensible aux parfums les plus violents. Alors, nous l'avons amélioré.

— Tu veux dire que tu as un sens de l'odorat aussi développé qu'un... que Pallikari?

— Meilleur, parce que je peux le contrôler. Et je peux aussi contrôler mes émanations. Nous nous sommes donné des glandes exquisement spécialisées, de véritables petites usines chimiques.

— Comme les Glogs?

— Presque. Les Glogs communiquent beaucoup au moyen des odeurs, c'est vrai. Mais ils se méfient des modifications génétiques et ils ne contrôlent pas complètement leurs émanations.

— Tandis que toi...?

— Je pourrais les mener par le bout du nez... s'ils en avaient un. En tout cas, c'est ce qui m'a permis d'ouvrir le collier glog.

Samuel la regarda avec des yeux ronds, sans savoir s'il était dégoûté ou vaguement envieux:

— Autrement dit, tu as réussi à reproduire la... la signature biochimique des Glogs?

— Ce n'est qu'une affaire de molécules, tu sais. Dans le dépotoir, le premier soir, quand tu as fait semblant de t'évader, je me suis jetée sur le Glog qui nous escortait pour échantillonner son odeur propre. C'est ainsi que j'ai pu ouvrir mon collier. Mais il m'a fallu plusieurs tentatives. Ce n'est pas si simple.

Samuel hocha la tête. Il comprenait maintenant pourquoi Leila avait agrippé son collier à deux mains en se couchant, les deux soirs précédents. Elle essayait différentes combinaisons de molécules... en fait, elle cherchait la bonne clé. Il devina qu'elle avait également échantillonné les émanations du garde qu'il avait assommé, pour être en mesure de reproduire sa signature biochimique et de faire fonctionner le pistolaser.

Le pistolaser! Soudain, Samuel se rendit compte qu'il n'avait pas eu besoin de tuer Fashilo. S'il avait donné à Leila l'occasion de démontrer qu'elle pouvait faire fonctionner le pistolaser, elle aurait pu tenir Fashilo en respect, le temps pour eux de décamper. Mais Samuel n'avait cessé de s'interposer, parce qu'il croyait qu'elle bluffait...

— Et les serrures? demanda-t-il enfin, la voix altérée.

— Les Glogs de la base utilisent une signature moins individuelle pour la plupart de leurs serrures. Lorsque nous avons fait le tour de la base, tu ne te souviens pas que j'ai testé la plupart des portes fermées? J'étais en train de recueillir les restes d'émanations, afin de reconstruire le code.

Samuel se gratta la tête.

— En effet, tu étais loin de m'avoir tout dit, Leila. Deux mois ensemble sur un astronef: on croirait que...

La fillette ne l'écoutait plus. Depuis quelques instants, son regard courait le long des façades, comme surpris de toujours trouver le ciel au-delà de la cime des édifices. Elle fit un tour complet sur elle-même et chancela, enivrée par l'immensité au-dessus d'elle.

Samuel se rappela qu'elle n'avait connu que les astronefs et les stations spatiales. Le ciel qui aspirait les regards au-delà des toits avait été pour elle un décor de simul-jeux, rien de plus. Mais le bleu intensément pur que le matin libérait au-dessus de Mashak dépassait tout ce qu'elle connaissait. Même le ciel du soir, après l'écrasement de la navette, ne l'avait pas frappée à ce point. Des nuages voilaient sa nudité et l'approche du crépuscule lui donnait un début de solidité, comme un toit infiniment distant — et un couvercle infiniment rassurant, refermé sur l'immensité du monde.

— N'y pense pas, dit-il en la secouant. Il faut qu'on retrouve l'avenue où la navette s'est écrasée.

Leila cligna des yeux, puis fixa farouchement le sol.

— Mais comment? dit-elle, après un silence. Nous ne connaissons pas l'adresse et
nous n'avons pas de micrord. Je n'ai pas vu de
bornes informatiques dans le coin et même
s'il y en avait, je ne parle pas la langue des
Glogs.

— Il ne faut pas se décourager si vite. Souviens-toi: ce soir-là, le soleil couchant brillait
derrière nous quand le flotteur a mis le cap
sur le dépotoir. Maintenant, c'est le soleil levant qui brille derrière nous, ce qui veut dire
que nous allons dans la bonne direction. Tôt ou
tard, nous allons croiser la bonne rue.

— À quoi la reconnaîtras-tu? La navette
ne sera certainement plus là.

— Mais la trace de son passage creusée
dans le revêtement, sûrement que oui!

— Ce n'est pas si bête.

— Je ne me sers pas juste de ma tête
pour y faire pousser des cheveux, tu sais.

— Oh! Très drôle.

— Bref, fions-nous au soleil. Et si jamais
on croise quelqu'un, on lui posera la question.

— Ah ouais, «quelqu'un»...

Leila regarda autour d'elle, l'air de dire
que Samuel rêvait «en couleurs et en trois
dimensions».

Ils se remirent en marche. Samuel levait de temps en temps les yeux vers le haut, non que le ciel constituât pour lui un sujet d'étonnement, mais parce qu'il craignait d'y voir apparaître un flotteur lancé à leur poursuite.

L'avenue obliqua, s'unissant à une artère principale, mais Samuel jugea qu'ils avançaient toujours dans la bonne direction. Il n'hésita donc pas à emprunter le chemin qui s'offrait à eux.

Les grandes artères de Mashak n'étaient pas de simples rues, comme dans les villes humaines. Les Glogs avaient construit des voies de transport multiples, intégrées à l'intérieur de la même structure. La moitié inférieure du tube massif, parfois enterré, parfois surélevé, était occupée par des rails supraconducteurs pour le passage de magtrains. La moitié supérieure du tube abritait des rubans de revêtements polymérisés empruntés par les véhicules individuels.

Et l'extérieur du tube supportait des passerelles piétonnières et des voies cyclables.

Du haut de la passerelle piétonnière la plus proche, Samuel découvrit le paysage urbain environnant. La plupart des édifices ne dépassaient pas six ou sept étages, mais des trouées constituées de terrains vagues et de rues secondaires permettaient au regard de se porter plus loin.

— Tu vois quelque chose? demanda Leila, un peu essoufflée par l'ascension des escaliers.

— Non, mais on ne se rend pas toujours compte de la distance qu'on franchit en flotteur. Un vol de quelques instants, c'est souvent beaucoup plus loin à pied qu'on le pense.

Il le dit avec un soupir et pressa le pas, songeant à l'embuscade qui attendait Ferrale. Chinskil et ses comparses étaient sûrement déjà sur place...

— Pas si vite! Attends-moi!

Samuel ralentit à peine, forçant Leila à se hâter.

— On ne pourrait pas prendre le train? lança-t-elle.

Le passage d'un magtrain dans la partie souterraine du tube venait de faire trembler les superstructures, obligeant Samuel et Leila à se cramponner aux rambardes vibrantes.

— As-tu vu une station?

Samuel consentit à marquer le pas, malgré l'angoisse qui le taraudait. Leila n'avait pas les mêmes raisons de s'inquiéter que lui. Il s'en faisait non seulement pour l'aventurière avec laquelle il avait sympathisé spontanément, trois ans plus tôt, mais pour lui-même.

Si Ferrale disparaissait dans les prisons des conspirateurs de Fashilo, il allait se retrouver sans ressources. Il n'avait pas un sou en poche et son micrord était resté dans la base du dépotoir.

Pourrait-il se faire rapatrier par charité? Il y avait sûrement un consulat nou-québécois sur Glensha, mais le personnel consulaire ne le verrait certainement pas débarquer d'un bon œil. Il était parti bien témérairement... et il ne tenait pas à expliquer comment il avait fait pour voyager de Nou-Québec à Glensha sans débourser!

Petit mais ardent, le soleil touchait à son zénith lorsque l'artère croisa une avenue rectiligne qui s'étendait à perte de vue dans les deux sens.

Samuel s'arrêta, mit sa main en visière et parcourut du regard les tranchées ouvertes dans la masse cristalline de la ville, de part et d'autre de la passerelle.

— Là-bas, murmura-t-il.

La nervosité qui l'envahissait ne laissait aucune place à l'enthousiasme. Il était conscient du temps qui avait passé durant leur traversée du quartier. Et l'amorce du sillon laissé par la navette, il l'apercevait au loin, brouillée par la chaleur qui faisait trembler l'air et valser les façades...

— Marchons, dit-il.

Leila, pâle de fatigue, hocha la tête sans dire mot.

Il leur fallut près d'une heure pour atteindre les portes du Jardin du Suicide. Celui-ci offrait un cadre nettement moins rieur lorsqu'on le découvrait au ras du sol. Du haut de l'appartement abandonné qu'ils avaient occupé deux jours plus tôt, à la lueur des torchères de méthane, il avait paru presque bucolique.

Mais ses cours d'eau charriaient une eau brune et nauséabonde, tandis que les arbustes qui surgissaient de l'herbe turquoise dessinaient des formes bizarres et tourmentées. Samuel n'avança qu'à contrecœur.

— Je n'aime pas ça, murmura Leila en le suivant.

— Il faut y rester plus d'une journée pour que la dose de radiations soit mortelle, dit Samuel, autant pour la rassurer que pour se rassurer lui-même. Et toutes ces plantes vénéneuses n'affectent que les Glogs.

— En es-tu *sûr*?

— C'est bien connu, mentit Samuel.

Les anciens Glogs avaient eu pour coutume d'entreposer plusieurs couches de déchets sous le sol du jardin. Les déchets organiques se décomposaient en générant le méthane qui alimentait les torchères. Les déchets radioactifs se décomposaient aussi, mais beaucoup plus lentement, et ils exposaient les visiteurs à une dose létale de radiations. Comme l'indiquait son nom, le Jardin accueillait ceux qui renonçaient à l'existence sur une planète surpeuplée.

Depuis l'effondrement de la population des mondes glogs, le Jardin ne servait plus guère, mais il arrivait encore à des Glogs fatigués de la vie de s'y rendre, pour humer le parfum mortel de fleurs qui ne poussaient nulle part ailleurs.

Les corps étaient ramassés périodiquement et déposés à la morgue que Chinskil avait mentionnée. L'édifice apparut au détour d'une allée, dressé tout au fond du parc.

Samuel et Leila s'abritèrent aussitôt derrière un rocher. Le Nou-Québécois avait conservé le pistolaser, que la fillette s'était lassée de porter. Mais elle était la seule à pouvoir l'utiliser et il lui rendit l'arme.

— Attends-moi ici. Si je ne reviens pas, je te fais confiance pour alerter les autorités.

La fillette coula un regard dans la direction de la morgue. L'édifice était dépourvu de fenêtres. L'unique porte était de taille à laisser passer des véhicules. C'était décidément le lieu rêvé pour une embuscade.

— N'y va pas, Vlax, chuchota la fillette, le ton pressant. Il est trop tard, je le sens.

— Raison de plus. S'ils sont déjà passés à l'acte, il n'y a plus rien à craindre. Ça fait longtemps qu'ils auront débarrassé le plancher.

— N'y va pas, s'il te plaît.

— Ferrale est en danger. Et par ma faute. Viens avec moi, si tu préfères.

— Mais que comptes-tu faire? Ces crapules sont armées.

Samuel serra les poings.

— Ce que je vais faire? Je ne le sais pas encore.

Il avait quand même une toute petite chance, à condition d'arriver au moment où Chinskil et ses complices n'attendaient plus personne. Parce qu'ils se prépareraient à transporter leur captive. Ferrale.

— Tu dérives, mon pauvre Vlax! Si elle n'est pas là, tu te jettes dans la gueule d'un chélonoïde! Je viens avec toi. Tu as besoin de quelqu'un qui a les idées à l'endroit.

— Pas si fort, la supplia Samuel en jetant un regard inquiet dans la direction de la morgue. Promets-moi seulement de ne pas tirer sur tout ce qui bouge. Si Ferrale est déjà là, je ne voudrais pas qu'on abîme ma future capitaine par erreur.

Une pelouse aux reflets d'acier entourait la morgue. Impossible de s'approcher de l'édifice sans être aperçu. Le Nou-Québécois s'avança donc hardiment vers la porte, suivi de Leila comme d'une ombre.

Il poussa la porte aussi discrètement que possible. Quatre veilleuses éclairaient la pièce d'une lueur jaunâtre. Le centre du plancher était occupé par des tombereaux qui servaient sans doute au ramassage des dépouilles.

Deux ouvertures étaient découpées dans le mur du fond: une porte et une baie fermée par un rideau de fer, qui s'appuyait sur un comptoir d'acier inoxydable. À en juger par les dimensions de la baie, Samuel devina qu'elle servait sans doute au transfert des cadavres dans les arrière-salles.

Une tache argentée traversa la pièce à leur entrée. Le froissement de plumes fit deviner la vérité à Samuel avant même qu'il eût reconnu Méthane. Mais le perroquet s'était élancé à la rencontre de Leila. Il se posa sur le poignet tendu de la fillette et agita ses ailes en la fixant de son œil intelligent:

— Gentil oiseau! Gentil oiseau!

Pour mieux flatter le plumage soyeux, l'aristocrate déposa son pistolaser sur l'établi le plus proche.

— Oui, Méthane, tu es très beau! Beau et gentil, c'est comme ça que je t'aime....

Se relevant de la caisse d'un tombereau comme un mort ramené à la vie, Chinskil se laissa glisser à terre, sans jamais cesser de pointer sur Samuel et Leila son pistolaser. Il rafla l'arme déposée par Leila et les considéra avec ce qui pouvait passer pour de la surprise sur les traits d'un Glog.

— Vous!

9

Le jour des révélations

Samuel le toisa de haut:

— Vous attendiez quelqu'un d'autre?

Au lieu de répondre, Chinskil leur indiqua la porte opposée du bout de son arme:

— Entrez. Nous serons plus à l'aise pour parler.

Ils se retrouvèrent dans une pièce un peu mieux éclairée. Il s'agissait sans doute d'une salle d'autopsie, car une table d'opération sur roulettes en constituait l'élément central. Des ouvertures closes par des rideaux métalliques étaient découpées dans les murs latéraux. La paroi du fond était dévolue à un paysage holographique si réel qu'il induisait un léger vertige, car il offrait une vue aérienne du quartier. Mais le quartier était représenté tel qu'il devait apparaître des siècles plus tôt: les façades brillaient au soleil, une foule bigarrée

emplissait les rues et des véhicules circu-
laient par centaines le long des artères.

Chinskil appela le perroquet doucement:

— Méthane! Est-ce qu'elle te plaît à ce
point?

L'oiseau décolla du bras de Leila. Chinskil
déposa son pistolaser sur la table d'opération,
gardant l'arme prise à Leila dans sa main
gauche. Il offrit son avant-bras droit au perroquet, qui s'y posa majestueusement.

Les doigts de la main gauche de Chinskil
se crispèrent sur la crosse de l'arme capturée
et Samuel connut un instant de panique.
Mais le Glog ne cherchait qu'à identifier le
détenteur original du pistolaser.

— Vous avez donc pris cette arme à cet
imbécile de Shunkilo, dit-il. Même pas foutu
de surveiller une porte... Ce qui veut dire que
vous vous êtes envolés depuis un moment.
Que faites-vous ici?

— Nous vous avons entendu avec Fashilo
ce matin dans la salle du trône, déclara Samuel. Nous sommes venus au secours de
Ferrale.

— Ah! Ça fait si longtemps que ça que
vous... Et vous vous êtes précipités pour sauver Ferrale Filion sans rien d'autre qu'un
pistolaser que vous êtes incapables d'utiliser.
C'est bien courageux...

Le Glog s'interrompit et dévisagea ses interlocuteurs.

— C'est effectivement très courageux de votre part. À moins que vous n'attendiez des renforts... Avez-vous averti quelqu'un avant de venir ici?

Samuel sourit.

— Et si je vous disais que nous n'avons parlé à personne?

La question narquoise produisit son petit effet. L'arme s'agita convulsivement dans les mains de Chinskil et les poumons de celui-ci émirent un chuintement prolongé. Méthane, de nouveau perché sur son épaule, battit des ailes, un moment effrayé. Cependant, le Glog reprit contenance et ne tira pas.

— Je fais fausse route, murmura-t-il pour lui-même. Nous n'aboutirons à rien de cette manière.

Samuel en était à se demander s'il devait développer son bluff lorsque Chinskil reprit la parole:

— Je crois qu'il vaut mieux tout vous dire. J'appartiens à la Gérance des Imprévus.

— Hein!

— Comment?

Le Glog parut jouir de leurs expressions de surprise.

— C'est logique, pourtant.

Certes, poursuivit-il, les Glogs n'avaient jamais accepté la mainmise de la Terre, plus de deux siècles auparavant. Lorsque Chang avait pris le pouvoir, ils avaient même songé à se soulever à la faveur des troubles initiaux. Toutefois, ils avaient renoncé.

Les Glogs, logiques et rationnels jusqu'au bout de leurs écailles, avaient calculé que ce serait sans espoir, compte tenu de leur infériorité militaire. Il n'était pas question d'éprouver de l'attachement pour le Nouvel Empire. Si les Glogs ne se révoltaient pas, c'était uniquement parce qu'il aurait été déraisonnable de le faire.

Et parce que ce serait ruineux pour nous, conclut Chinskil. Du moins dans les conditions actuelles. C'est pourquoi je travaille pour la Gérance afin de contrer Fashilo et ceux qui pensent comme lui. L'intervention des Moweus relancerait les guerres des cinquante dernières années. En dépit de ce que pense le Très Profond Fashilo, il est improbable que les Glogs arrivent à tirer leur épingle du jeu sans se piquer les doigts.

Samuel ouvrit de grands yeux:

— C'est le raisonnement diamétralement opposé à celui de Fashilo.

— En effet, mais c'est le raisonnement que tiennent la plupart des Glogs, affirma

Chinskil. Heureusement, Fashilo n'est pas un inconnu pour la Gérance. L'organisation a pressenti il y a longtemps le danger qu'il pouvait représenter. C'est pour cela que la Gérance m'a aidé à gagner la confiance de Fashilo.

Samuel hésita. Chinskil disait-il la vérité? Appartenait-il vraiment à la Gérance? Le Nou-Québécois se rendit compte soudain qu'il subsistait un point obscur.

— Mais, dans ce cas... Ferrale est de votre bord! Pourquoi voulez-vous la capturer? Êtes-vous si sûr qu'elle ne dira rien si Fashilo la questionne?

Le Glog braqua ses yeux jaunes sur le jeune homme qui le dominait d'une tête et plus. Malgré la disproportion des tailles, ce fut Samuel qui se sentit glacé jusqu'à la moelle par le regard de Chinskil.

— En effet, si Fashilo avait l'occasion de la questionner, elle pourrait gâcher tout ce que j'ai fait pour détourner les soupçons de mon estimable maître... Tu n'as pas compris que j'ai la ferme intention de la tuer?

— La tuer? répéta Samuel d'une voix chevrotante. Mais si elle travaille pour la Gérance...

Les opercules du Glog se refermèrent avec un claquement méprisant.

— Si elle fait partie de la Gérance, je ne suis pas au courant. En la tuant, j'étouffe dans l'œuf les soupçons de Fashilo. Si je peux le convaincre que Ferrale était la seule à nous serrer d'aussi près, il baissera un peu la garde.

— Mais elle est innocente!

— Et alors? Ce n'est qu'une humaine, après tout. Je raconterai à Fashilo qu'elle a essayé de s'enfuir et que nous avons été obligés de tirer.

Samuel frissonna d'horreur. Le Glog baissa la voix:

— Si vous saviez le plaisir que je vais éprouver en l'assassinant... Ce n'est pas raisonnable, mais si vous saviez ce que j'endure de mes supérieurs humains, pour qui je suis le chouchou, vert comme chou, simple comme chou... Ils sous-estiment tous les Glogs, même ceux qui travaillent pour eux...

— Je crois que je comprends quelque chose, dit soudain Leila. C'est vous! Nous sommes presque morts à cause de vous!

Samuel se retourna vers la fillette:

— De quoi parles-tu?

— C'est lui qui a essayé de tuer le perroquet.

— Qu'est-ce qui te fait croire que...

— Qui donc avait intérêt à se débarrasser du perroquet? Un agent de la Gérance. C'est ce qu'il a suggéré à Fashilo, mais en le mettant sur la piste de Ferrale. Il n'a pas menti, sauf qu'il était l'agent en cause. Après tout, Méthane est à la base un perroquet gris d'Afrique, un type de perroquet qui s'attache à une seule personne. Seul Chinskil pouvait lui enseigner ce dont il aurait besoin pour s'introduire dans la navette...

Samuel esquissa un sourire en comprenant.

— Et ce n'est pas un hasard si le perroquet s'est laissé reprendre par Chinskil, et par lui seul!

— En effet, avoua Chinskil, j'étais sur Glenshkok pour rencontrer les Moweus à leur arrivée. J'avais emporté le perroquet pour le mettre à l'épreuve. L'épreuve a été concluante, mais ce n'est pas pour cela que j'ai paniqué.

— Non?

— Le double jeu est un art délicat. La Gérance m'a chargé de saper ces négociations, mais avec finesse et discrétion. Lorsque j'ai rencontré les sifflechanteurs, j'ai fait mine de révéler par mégarde que Fashilo ne représentait que lui-même et pas grand-chose de plus parmi les Glogs. J'utilisais le logiciel de traduction et je ne me suis souvenu qu'ensuite de Méthane.

— Vous avez eu peur qu'il s'en souvienne et qu'il le répète.

— Eh oui... J'ai cherché à m'en débarrasser sur-le-champ. Je lui ai appris quelques mots de passe pour qu'il s'introduise à bord d'une navette et provoque son écrasement. Pour lui, c'était un jeu...

— Fashilo ne vous a pas soupçonné?

— Pas un instant! J'ai monté le coup de manière à suggérer que nous avons des ennemis inconnus, mais pas la Gérance ou la police fédérale. Fashilo devait croire qu'on avait tenté d'enlever ou d'assassiner le perroquet, alors que la police n'aurait eu qu'à organiser une descente pour confisquer l'oiseau et nous arrêter. J'espérais l'énerver, l'inquiéter un peu, le pousser à commettre des erreurs dans ses négociations avec les Moweus.

— Mais la navette ne s'est pas écrasée.

— Et tu es arrivé à point nommé, jeune humain. Tu me permettais d'attirer l'attention sur Ferrale, cette aventurière de passage à Glenshkok.

— Vous n'avez pas songé qu'il y aurait des passagers à bord de la navette?

— J'ai donné à Méthane un maximum d'avance, pour qu'il y ait un minimum de passagers déjà à bord. Mais je n'avais pas prévu qu'une native de Nea-Hellas parviendrait à prendre les commandes.

Samuel serra les dents. Chinskil en parlait bien légèrement. Le Nou-Québécois ne se sentait pas prêt à pardonner. Cependant, plus le Glog révélait la froide logique qui avait présidé à ses gestes, plus Samuel était disposé à croire qu'il appartenait bel et bien à la Gérance des Imprévus. Il ne restait qu'à éclaircir quelques points...

— Pourquoi avoir rattrapé le perroquet s'il vous gêne?

— Pour me redonner crédit auprès de Fashilo. À tête reposée, j'ai fini par conclure qu'il était peu probable que Méthane ait retenu la phrase dangereuse. Alors que j'ai absolument besoin de la confiance de Fashilo si je veux saboter l'entente. C'est pourquoi je l'ai souvent encouragé dans ses excentricités. Y compris son projet d'*humanisation* des Glogs.

Il prononça le mot avec une intonation presque humaine, qui laissait percer un dégoût indicible.

— Mais ce n'est plus nécessaire! s'exclama Leila. Fashilo est mort. Il n'y a plus rien à craindre. On ne vous a pas alerté?

Samuel jeta un regard noir à la fillette. La situation était déjà bien assez embrouillée. Le Glog sursauta.

— Qu'est-ce que... C'est vrai que nous avons déconnecté nos micrords pour ne pas être repérables. Personne n'a pu nous appeler...

Il se mit à réfléchir à voix haute.

— Tout compte fait, c'est idéal! Je garde le perroquet auprès de moi pour le surveiller. Ferrale est éliminée, histoire de désarmer les soupçons de Venyako et des autres. Et je vais m'arranger pour succéder à Fashilo. Une fois aux commandes, je vous assure que je dégoûterai à jamais les Moweus de se mêler de la politique intérieure de l'Empire.

— Quoi? se récria Samuel qui n'avait retenu qu'une chose. Vous voulez toujours tuer Ferrale?

— Sa mort demeure nécessaire. Ceci dit, elle ne va sûrement plus tarder...

L'agent de la Gérance prononça quelques mots en *kilokkk*. Deux Glogs surgirent de la paroi du fond. L'illusion holographique cachait un espace supplémentaire.

— Contrairement à Fashilo, je n'éprouve aucune affection pour les armes démodées et aucun scrupule à user d'armes tout à fait modernes. Surtout qu'il est difficile d'esquiver un rayon de pistolaser, même si on est un épéiste émérite.

Ses complices avaient la main posée sur la crosse de pistolasers glissés dans leurs ceintures. Des modèles lourds qui avaient l'air capables de vaporiser un lac de dimension moyenne.

Ce fut l'instant que choisit Leila pour tendre le bras dans la direction du perroquet et pour minauder:

— Viens, mon Méthane, viens à moi!

À la surprise générale, le perroquet n'hésita pas une seconde. Les ailes étendues, le bec entrouvert, il voulut s'envoler. Chinskil, pris de court, réagit maladroitement en essayant de le retenir. Méthane n'en pensa que du mal. Son bec puissant se referma sur la chair de la mâchoire et la tordit. Du sang gicla.

— Aïe! Il m'a mordu!

Chinskil porta la main à son visage, laissant tomber son pistolaser. Le perroquet s'envola, oubliant Leila et esquivant les gesticulations furieuses du Glog. Une fois perché hors de portée, il cria tristement:

— Méthane t'aime! Méthane t'aime!

De toute évidence, il espérait encore se faire pardonner.

Samuel profita de la distraction momentanée de l'agent de la Gérance pour ramasser l'arme gisant sur le sol. Il recula jusqu'à la porte en tenant Chinskil en joue.

— Allons, dit le Glog en se ressaisissant. Tu sais bien que tu ne peux pas la faire fonctionner.

— C'est vrai, admit le Nou-Québécois en tendant l'arme à Leila. Occupe-toi de lui, petite magicienne, et je m'occupe du perroquet.

En s'assurant de ne pas s'interposer entre Leila et les trois Glogs, il se rapprocha du nouveau perchoir de Méthane, en allongeant le bras pour encourager le perroquet à s'y poser. Non sans s'être fait prier, l'oiseau accepta de changer de perchoir.

L'agent de la Gérance ébaucha un mouvement et Leila tira. La chaleur du rayon carbonisa une section du plancher près du pied du Glog. Chinskil se figea, ébahi:

— Mais... mais c'est impossible! Aucun être humain...

Les deux autres Glogs, qui avaient esquissé le geste de tirer leurs armes, se ravisèrent, éloignant les mains de leurs ceintures.

— Et maintenant, qu'allez-vous faire de nous?

Samuel et Leila échangèrent un regard perplexe. Ils n'avaient pas les moyens de réduire leurs prisonniers à l'impuissance, pour avoir le temps de s'enfuir. Et il était hors de question de les tuer. C'étaient des agents de la Gérance des Imprévus, au service direct de l'Empereur.

— On pourrait appeler la police locale, suggéra Samuel. L'un d'eux a sûrement un micrord.

— À quoi bon? protesta Leila. Ils travaillent pour la Gérance. Ils n'auront qu'à se faire reconnaître et la police sera à leur service. Nous n'aurons pas le temps de faire cent mètres avant d'être arrêtés!

Samuel esquissa un sourire.

— Moi, je ne crois pas qu'ils tiendront à se faire reconnaître. Cela pourrait se savoir et compromettre leur infiltration de la bande à Fashilo. Nous n'en valons pas la peine, Leila. Ils ne parleront pas et ils laisseront la police enquêter sur eux comme s'ils n'avaient qu'une identité à cacher, et non pas deux.

Chinskil montra les dents.

— Tu es un malin, Samuel Filion. Tu mériterais de travailler pour nous.

Samuel ne répondit pas. S'ils appelaient la police, Leila et lui avaient intérêt à ne pas rester sur les lieux. Sinon, les policiers ne manqueraient pas de les cuisiner longuement. Et si le corps de Fashilo était découvert dans le dépotoir, ainsi que l'épée qui portait les empreintes de Samuel... Bonjour les complications!

Le Nou-Québécois chercha des yeux de quoi attacher les trois Glogs. Ou bien la porte d'un local où les enfermer...

Ferrale Filion mit fin à son embarras en entrant. Elle avait l'air de chercher quelqu'un et, lorsqu'elle aperçut Samuel, d'avoir trouvé. En découvrant les Glogs tenus en respect par Leila, elle réagit sans leur donner le temps de dire un mot. Dégainant une arme cachée sous son blouson, elle tira sur les trois agents de la Gérance.

— Attends! s'écria Samuel à retardement.

Mais ce n'était pas un pistolaser comme il l'avait craint. Un étroit filet liquide jaillit de l'embouchure du canon et se volatilisa à mi-chemin de ses cibles, se transformant en une nuée de gouttelettes presque invisibles, puis en un gaz incolore qui troubla l'air de la pièce comme un mirage de chaleur. Le nuage enveloppa les trois Glogs qui se croisèrent les bras en abattant leurs mains sur leurs évents, mais ils avaient déjà leur dose: l'un après l'autre, ils tombèrent à genoux, puis s'effondrèrent par terre.

Leila baissa son arme, bouche bée. Ferrale rengaina la sienne et s'adressa à Samuel, qui retenait sa respiration:

— Un gaz incapacitant, qui n'affecte que les Glogs. Je me suis dit que quelque chose de ce genre pourrait m'être utile. La dose n'est pas mortelle, mais ils ont de quoi dormir jusqu'à demain.

Samuel respira. Il s'ensuivit quelques minutes d'explications un peu confuses. La capitaine du *Christophe* finit par secouer la tête, confondue.

— Quelle affaire! Tu dis qu'il travaillait pour la Gérance des Imprévus? Pourvu que cela ne se sache pas...

Elle jeta un coup d'œil à la forme étendue du Glog, comme si elle regrettait qu'il ne fût pas mort.

— Hein? fit Samuel, interloqué. Veux-tu dire que c'est vrai que tu es une collaboratrice de la Gérance? Chinskil nous a soutenu le contraire.

— Ah, il s'appelle Chinskil... Eh bien, il ne se trompait pas pour ce qui est du passé, mais je viens de conclure une entente avec la Gérance, justement... Je ne peux pas en dire plus.

Devant Leila? Samuel jeta un coup d'œil à la fillette, mais l'aristocrate de Nea-Hellas pensait à autre chose. La petite avait convaincu sans peine Méthane de regagner son épaule. Tout en cajolant l'oiseau d'une main, Leila désigna de l'autre les Glogs étendus:

— Tiens-tu vraiment à appeler la police? Ce n'est peut-être pas la meilleure solution pour l'avenir de la Transhumanité. Maintenant que nous savons qu'il travaille pour la Gérance, cela ne ferait que mettre des bâtons dans les roues de sa mission. Tu n'as pas peur que les Moweus...

Samuel secoua la tête.

— Fashilo est mort, nous emportons le perroquet et Chinskil doit connaître à peu près tout le monde dans la bande de Fashilo. À défaut de continuer à faire la taupe, il pourra ordonner leur arrestation. Et je ne sais même pas si la police a quelque chose à lui reprocher...

— Je suis d'accord, dit l'aventurière. Si tout est réglé ici, je propose de filer et de laisser ces gens se débrouiller avec la police locale.

— Mais...

Samuel hésita. Il sentait le regard de Leila posé sur lui, comme deux braises chaudes sur sa nuque. Il avait tué le Très Profond Fashilo et, même si ce dernier avait été un traître, il avait aussi été un citoyen de l'Empire. Sa mort ne méritait pas de rester à jamais un crime non élucidé. Il avait de la famille peut-être. Des amis...

Il y avait cependant l'envers de la médaille. Si Samuel restait sur Glensha, choisis-

sait de divulguer son rôle, tentait de se jus-
tifier, il risquait d'y demeurer bloqué pour
longtemps. Réussirait-il à faire accepter à ses
juges qu'il avait pris part à un duel? Et qu'il
avait tué en état de légitime défense? Rien
n'était moins sûr...

— Allons, dit Ferrale, à quoi bon disposer
d'un astronef si on ne s'en sert pas pour laisser tous nos problèmes à quelques années-lumière dans notre sillage? C'est ça, l'aventure!

— Je devrais peut-être rester, parvint à
dire Samuel, le ton fort peu assuré.

— L'aventure ne te tente plus?

— Plus que jamais. J'en ai assez de ces
mondes où tout doit servir à quelque chose,
même les animaux, même les gens. Un perroquet devrait avoir le droit de voler où il
veut au lieu de tester des logiciels pour un
fou criminel. Un chien devrait avoir le droit
de choisir son maître sans se le faire impo-
ser par une télécommande. Moi, je n'en peux
plus. Sur ces mondes, on est toujours le
morphe de quelqu'un. Chinskil voulait te
tuer, Ferrale, rien que pour regagner la confiance des conspirateurs qu'il espionne. Tu te
rends compte?

— Oui, murmura-t-elle. C'était le choix le
plus efficace pour lui. Mais il avait oublié que
ce n'était pas le seul choix possible.

— C'est exactement ça! Je veux faire des choix impossibles! Poser des gestes inutiles. Essayer des choses inefficaces. Je ne veux pas étudier pour que ça serve à ma carrière, Ferrale, je veux vivre pour moi. Je veux goûter à la liberté au moins une fois dans ma vie. L'aventure, oui, je la veux.

— Tu m'as l'air prêt à partir. Je ne peux pas te promettre la liberté que tu souhaites, Samuel, mais tu auras le temps de découvrir ce que tu veux vraiment.

— Où allons-nous?

— Eh bien... que diriez-vous d'un bon astrotel pour la nuit? Demain matin, à l'aube, nous prendrons une navette pour Glenshkok. En attendant, j'ai l'impression que vous serez heureux de pouvoir vous laver, non?

* * *

Ils récupérèrent le flotteur loué par Ferrale dans un bosquet du parc. Lorsque Leila exprima quelques doutes sur la sagesse d'avoir laissé le véhicule baigner dans la brume de radioactivité qui imprégnait le Jardin du Suicide, l'aventurière haussa les épaules:

— Une petite session avec un méditech nous débarrassera des séquelles de ces radiations. Il n'y a pas de quoi s'en faire.

Elle prit un air espiègle pour ajouter:

— Et puis, j'ai vérifié le niveau des radiations avec mes instruments de bord. Il y a un bon millénaire que ce Jardin a été aménagé. La radioactivité est nettement moins intense qu'on le suppose.

Ce qui n'empêcha pas la Nou-Québécoise, une fois aux commandes, de décoller en catastrophe, comme si elle ne tenait pas à passer une seconde de plus dans les parages. Durant le vol dans la direction de l'astroport de Benshak-Ushod, Samuel remarqua Leila qui dévisageait avidement Ferrale.

— Qu'en penses-tu?

— Je ne me l'imaginais pas ainsi.

Samuel esquissa un sourire.

Ferrale n'avait pas exactement l'air d'une aventurière prête à tout. Ses cheveux bruns étaient franchement quelconques, son visage avait le charme inoffensif des minois féminins de vingt ans et son uniforme de capitaine n'avait rien de flamboyant. Mais la réjuvénation qui lui avait rendu les traits de la jeunesse n'avait rien ôté à ses années d'expérience. Ancienne exploratrice et scientifique, elle était devenue une négociante indépendante, rarement prise au dépourvu.

Et elle avait besoin de lui.

Jusqu'à la fin du vol, Samuel s'amusa à essayer d'imaginer pourquoi elle avait fait appel à lui.

Lorsque le flotteur atterrit dans le stationnement de l'astrotel, l'après-midi était sérieusement entamé, mais il faisait encore plus chaud. Le trio mené par Ferrale se réfugia avec soulagement dans la fraîcheur climatisée de l'édifice.

Les hôtels glogs n'acceptaient pas les humains, car ils étaient réservés aux membres d'une phratrie donnée. Aucun paiement n'était exigé; cela faisait partie de l'entraide entre les membres d'une phratrie.

Les seuls hôtels à la mode humaine se dressaient à proximité des astroports et des grands sites touristiques. Ces astrotels de luxe accueillaient tous les visiteurs sans distinction. Les Moweus y côtoyaient les Glogs, les humains d'un peu partout et les Ayas, semblables aux centaures de la mythologie antique. Seulement, il fallait payer le prix fort pour avoir droit à une chambre.

Au moment de s'inscrire, Samuel eut un instant d'hésitation. À voix basse, il confia sa préoccupation à Leila:

— Tu dois être portée disparue. Tu ne crains pas de voir débarquer la police si tu te présentes? Je pourrais dire que tu es ma petite sœur.

— Pourquoi pas ta fille, tant qu'à y être? Non, Samuel, c'est inutile. Comme tous les exilés de Nea-Hellas, j'ai une micropuce d'identité implantée dans un os de l'avant-bras.

— Et alors?

— Je ne peux pas leur cacher mon âge véritable.

Après avoir réglé le cas de Ferrale, le préposé à la réception de l'hôtel se baissa vers Leila:

— Et vous...

Leila se mit sur la pointe des pieds pour glisser son bras sous l'endographe afin de confirmer son identité. Une expression de surprise apparut sur le visage du préposé.

— Vous avez vraiment...

— Mais oui.

— Décidément, c'est le jour. Bienvenue à l'astrotel *Más allá de Rasalas*. (Il se tourna vers Samuel.) Et vous, *señor*, faites-vous aussi beaucoup plus jeune que votre âge?

— J'espère bien que non, répondit Samuel en laissant l'homme lui prélever un échantillon d'ADN.

Le Nou-Québécois jeta un regard perplexe aux deux autres. Il savait que Ferrale, au terme de l'expédition de la Grande Boucle dans une nébuleuse sombre, avait obtenu une réjuvénation complète, sans laquelle elle aurait affiché un âge plus que canonique. Mais Leila...

— Identité confirmée, *señor* Makenna. Je vous souhaite un agréable séjour.

Une fois dans l'appartement de poche loué par Ferrale, Samuel relança l'ancienne aristocrate de Nea-Hellas:

— M'expliqueras-tu enfin? Quel âge as-tu donc?

La mine grave, Leila s'installa dans le fauteuil du petit salon et lui rendit son regard inquisiteur. Sans trace d'amusement dans les yeux, elle répondit:

— Très exactement, Samuel, j'ai un âge objectif de quatre-vingt-treize ans. Comme j'ai passé presque tout ce temps en exil dans l'espace, accumulant les Sauts qui grignotent le temps, j'ai un âge subjectif nettement inférieur. En définitive, j'ai vécu soixante-huit années terrestres.

— Comment est-ce possible?

— C'est ce qu'on appelle la réversion de Peter Pan. Quand mes parents sont...

Sa bouche trembla. Malgré toute sa détermination, elle baissa la tête, puis reprit d'une voix rauque:

— Je t'ai déjà dit que mes parents étaient morts lorsque des terroristes ont détruit l'orbitat de Didymos. J'avais dix ans. C'est peut-être le pire âge pour perdre ses parents. On n'est plus un bébé et nos parents commencent à devenir des complices, des amis... J'ai été terriblement malheureuse, Samuel. J'ai vécu la fin de mon enfance comme une androïde, j'ai participé à l'exode des aristocrates de Nea-Hellas, j'ai eu des enfants à mon tour et... j'ai craqué. Je sentais qu'il me manquait quelque chose. La fin de mon enfance... Peux-tu comprendre?

— Je ne sais pas, murmura Samuel.

Son enfance avait été entièrement tournée vers l'avenir. Il avait eu hâte d'être adulte et il ne comprenait pas comment on pouvait regretter son enfance ou son adolescence. Mais il devait admettre que ses parents ne lui avaient jamais fait défaut...

— La technique a été mise au point sur Nea-Hellas, reprit Leila. Elle permet de rendre à l'adulte un corps d'enfant, juste avant la puberté. C'est un point stable de la croissance, qu'il est possible de faire durer pendant des années si on le désire.

— Et ça fait longtemps que...

— Des années, répondit-elle sans plus de précision. Christos dit que c'est une façon pour moi de fuir les responsabilités. Il n'a pas tout à fait tort, mais les responsabilités en question sont réduites à bord du *Katafigion*. Je crois plutôt que, pour moi, c'est une façon de me rapprocher un peu de ces parents qu'on m'a arrachés...

Samuel hocha la tête. Tout s'éclaircissait désormais. Les inconstances de l'humeur de Leila. La diversité de ses connaissances et de ses expériences. L'insouciance avec laquelle elle avait planifié sa «fugue» et l'évasion d'un morphe. Sans parler de ses modifications génétiques qui remontaient à l'âge d'or des expérimentations hasardeuses de Nea-Hellas.

Elle quitta sa mine pensive pour l'interroger à son tour:

— Et toi, Samuel? Vas-tu retrouver tes parents après ce voyage que tu comptes faire avec Ferrale?

Le jeune homme fit la moue. Il n'aimait pas aborder le sujet, mais il en avait tellement gros sur le cœur que cela déborda quand même:

— Mes parents? Mais ils sont partis sans moi.

Il leur avait fait une scène lorsqu'ils avaient parlé de partir à l'autre bout de l'Empire. «Emmenez-moi!» les avait-il implorés. Il était bien venu avec eux sur Serendib, après tout. Mais leur nouvelle destination était tellement plus éloignée... Ils avaient insisté pour qu'il restât à l'université sur Nou-Québec.

— J'espère bien qu'ils s'inquièteront pour moi quand ils rentreront et qu'ils verront que je suis parti! ajouta-t-il férocement.

Ferrale arriva au seuil du salon à temps pour l'entendre. Elle apportait une cage fournie par un employé de l'hôtel. Elle la déposa sur la table à portée de main de Leila, puis s'installa dans le second fauteuil.

— C'est de ton âge, Samuel, opina-t-elle. Tes parents comprendront que tu n'étais plus un enfant.

— J'ai tellement envie de voyager... Quand j'ai reçu ton message, j'ai sauté sur l'occasion. (Il soupira.) Il va falloir que j'envoie un mot à Angus et Sylvine. Je ne l'ai pas encore fait.

— Où sont-ils allés?

— Oh, dans le coin de cette nouvelle colonie, euh, Deutschwelt... Un monde nommé Jaipur qu'on a découvert récemment, tout près d'Alpha Ara.

Ferrale sifflota, impressionnée.

— Ce n'est pas la porte à côté.

— Il va s'écouler plus de deux ans rien qu'au cours des Sauts qu'ils feront pour se rendre sur Jaipur. Et ils comptent passer

deux ans environ sur Jaipur. Bref, ils ne re-
viendront sur Nou-Québec que sept ans après
leur départ. Ils ont dit que cela me donnerait
le temps de terminer mes études.

— Ils n'avaient peut-être pas tort, lança
Leila.

Elle s'occupait de nouveau de Méthane, le
caressant et le nourrissant de graines en lui
murmurant des petits riens. Elle jouait peut-
être le rôle d'une enfant, mais, quand elle le
jouait ainsi, il était impossible de se souvenir
de son âge véritable.

Samuel grimaça. Il n'avait pas envie d'en
discuter et il changea de sujet:

— Comment as-tu fait pour l'apprivoiser
si rapidement et si complètement?

— Il avait besoin d'un peu d'amour, répondit-elle, sibylline.

Méthane lui arracha un petit rire enjoué
en cherchant à se nicher sous sa chemise.

— Non, Méthane, lui dit-elle gravement. Si
nous t'avons acheté une cage, ce n'est pas
pour rien. Il va falloir que tu t'y fasses, si tu
veux venir avec moi sur le *Katafigion*.

Il parut comprendre.

Lorsque Leila lui indiqua la cage, il y entra de lui-même. Elle remplit d'eau un bol au
pied de son perchoir, et versa le reste des
graines dans un petit plat.

Le perroquet abrégea les choses en tirant avec son bec sur la porte de la cage pour la refermer. Puis il monta sur le perchoir, enfonçant sa tête dans son plumage.

— Bonne nuit! croassa-t-il.

— Eh oui, murmura l'aristocrate, Méthane veut dormir. Il a trouvé une cage à son goût.

Épilogue

Le lendemain matin, une surprise attendait Samuel à la réception.

— On a laissé ceci pour vous durant la nuit, déclara le concierge en tendant un paquet au Nou-Québécois.

— Fais attention! s'écria Ferrale. C'est peut-être...

— Je sais ce que c'est, la coupa le jeune homme.

La forme du paquet ne laissait planer aucun doute et Samuel en tira sans surprise une épée dont la pointe portait quelques infimes traces brunes. Le sang séché du Très Profond Fashilo.

— On ne trouvera rien dans le dépotoir, décréta-t-il. Venyako ou un autre a fait le ménage. Mais je ne saisis pas le sens du message.

— C'est sûrement une invitation à prendre le large. Parce que, sinon, on te promet que tu auras besoin de cette épée pour te défendre.

Samuel remballa l'étrange cadeau et le joignit à ses maigres bagages.

Leila eut également droit à une surprise. Près de la sortie, un homme l'attendait, vêtu d'un uniforme aux couleurs du *Katafigion*. Samuel reconnut sans hésiter ce visage grassouillet surmonté d'une toison noire et bouclée.

— Christos!

La petite se précipita à la rencontre de l'officier et sauta à son cou. Elle le ramena auprès de ses nouveaux amis en le tirant par la main. Il se laissa faire, ses traits exprimant une indulgence nouvelle.

— C'est mon petit-fils, confia Leila à Samuel en l'embrassant.

Le jeune homme en resta pantois. Un peu embarrassé de se présenter à l'officier après s'être fait passer pour un morphe, il se borna à serrer la main de l'homme et n'ajouta rien de plus à ses adieux.

Ce fut Méthane qui eut le mot de la fin:

— Méthane à la maison! Méthane à la maison!

Samuel les regarda sortir de sa vie, une boule dans la gorge. Le *Katafigion* était un peu devenu sa maison, pendant quelques semaines. Il y avait eu ses habitudes. Maintenant, il allait devoir s'habituer à la vie sur le *Christophe*.

Ferrale le prit par les épaules et le serra:

— Allons, mon grand, ne sois pas triste. Tu as ce que tu voulais, non? Un billet pour l'aventure. Ensemble, tu vas voir, nous allons conquérir la Galaxie!

Samuel ne souffla mot. Elle ne disait pas ça sérieusement, tout de même? Mais l'enthousiasme de Ferrale était communicatif. Après tout, pourquoi pas? Il avait quitté Nou-Québec pour connaître quelque chose de différent.

L'aventure commençait. Avec une capitaine qui n'avait pas l'air beaucoup plus vieille que lui. Et une Mentalité trop intelligente pour son bien. Quelle équipe!

Et quelle famille de remplacement, aussi! Le *Christophe* avait l'air encore neuf, mais il y avait sûrement moyen d'ajouter une touche personnelle au décor trop nu. Peut-être pourrait-il tirer de son nouveau micrord des portraits de Leila ou Méthane afin d'orner un bout de paroi dans une coursive... Peut-être badigeonnerait-il sa main de peinture pour imprimer le dessin de sa paume sur quelques portes...

* * *

Plus tard, lorsqu'ils se retrouvèrent dans la passerelle du *Christophe*, alors que la silhouette de Glenshkok se fondait dans les ténèbres étoilées du ciel, Ferrale raconta à Samuel les événements qu'il ignorait.

— Je suis descendue de Glenshkok aussi vite que possible, il y a trois jours, mais le détournement et l'écrasement de la navette avaient mis tout le monde sur les dents. J'ai eu du mal à obtenir les autorisations nécessaires, à me poser à l'astroport de Benshak, à louer un flotteur... Et quand je suis arrivée à Mashak, ça grouillait d'enquêteurs. Je suis quand même restée dans le coin pour essayer de te retrouver... Tu connais la suite.

— Et maintenant?

— Tu sais, j'ai hésité avant de te laisser un message pour te donner rendez-vous ici. Oui, j'avais promis de venir te chercher, mais tu avais peut-être changé d'idée.

— Je n'ai pas cessé de rêver à ton retour, Ferrale! s'écria Samuel, blessé.

— N'empêche que j'avais des scrupules. Tu es jeune, inexpérimenté... Est-ce que j'avais le droit de risquer ta vie?

— Et si c'est ce que je réclame?

— L'aventure? Le danger? Es-tu sûr de savoir ce que tu veux? À ton âge, on cherche parfois à devenir quelqu'un qu'on ne pourra jamais être. Un peu comme cette Leila qui veut retomber en enfance ou ce Glog qui voulait devenir humain.

— Peut-être. Mais le seul moyen de savoir que c'est impossible, que je ne suis pas taillé pour l'aventure, c'est d'essayer.

— C'est vrai, mais faire appel à toi, c'était te mettre dans le bain sans te donner le choix. J'ai bien failli ne pas te laisser de message.

— Qu'est-ce qui t'a fait changer d'idée?

— Eh bien... (Ferrale allongea une mine contrite.) J'ai décidé que j'allais avoir besoin de toi. Je m'en vais à Bételgeuse chercher un passager très spécial, qui a presque ton âge. Je me suis dit que tu saurais lui tenir compagnie mieux que moi.

Mais Samuel n'avait entendu qu'une chose: ils partaient pour *Bételgeuse*!

Il consulta l'ordinateur d'astronavigation. Ses yeux s'écarquillèrent.

Il savait que les orbitants ne comptaient pas le temps comme les planétaires, mais il n'avait jamais été confronté à l'évidence de manière aussi franche.

— Mais c'est une affaire de huit escales! Plus de deux ans de voyage, rien qu'en comptant le temps dans l'hyperespace, à condition de ne pas s'arrêter pour le ravitaillement, les contrôles, les réparations, les ajustements de trajectoire...

— Tu as parfaitement raison, dit Ferrale sur un ton approbateur. Ce serait la meilleure façon de ne pas être au rendez-vous à temps.

— Mais alors?

— Je suis pressée. Je vais donc pousser le *Christophe* au bout de ses possibilités. Deux Sauts nous permettront de couvrir moins de quatre cents années-lumière. Notre seule escale sera dans le système de Kolasha. Ça prendra nettement moins de deux ans et, pour nous, le voyage durera à peine quelques mois.

— Rien que ça!

— Oh, ça nous donnera le temps de prendre ton éducation en main, promit l'aventurière.

— À vos ordres, capitaine!

Elle le chassa d'un geste impatient. L'aventurière ne souriait pas souvent, mais une petite flamme amusée pétillait dans ses yeux.

Samuel se rendit dans sa cabine pour déballer ses affaires. Il en sortit l'épée qui avait tué Fashilo et il fendit l'air de la pièce, appuyant la pointe sur la paroi au-dessus de la couchette. Le métal de la lame plia. Le jeune homme poussa un peu, éprouvant la résistance du métal, puis renonça. Avec un profond soupir, il rangea l'arme sur une des étagères vitrées. Un souvenir qu'il aurait toujours sous les yeux.

Mais le jeune homme ne se souvint pas ce jour-là qu'il avait eu l'intention d'envoyer un message à ses parents.

Il ne s'en souviendrait pas avant que le *Christophe* eût Sauté dans l'hyperespace, en chemin pour Bételgeuse.

Table des matières

Collection
Jeunesse - pop

AGMV Marquis

MEMBRE DE SCABRINI MEDIA

Québec, Canada
2003